Cahier de grammaire et d'exercices

Apprendre à bien écrire par les textes littéraires

2e édition

Éléonore Antoniadès
Natalie Belzile
Hélène Richer

9001, boul. Louis-H.-La Fontaine, Anjou (Québec) Canada H1J 2C5
Téléphone: 514-351-6010 • Télécopieur: 514-351-3534

Directrice de l'édition
Louise Roy

Directrice de la production
Danielle Latendresse

Directrice de la coordination
Isabel Rusin

Chargée de projet
Francine Noël

Correction d'épreuves
Jacinthe Caron

Conception et réalisation
Studio Douville

Consultation scientifique
Denise Sabourin

En couverture : lettre de Gabrielle Roy
à son mari, Marcel Carbotte, vers 1940.
© Fonds Gabrielle Roy /
Bibliothèque National du Canada.

Remerciements

L'Éditeur tient à remercier les personnes suivantes pour leurs commentaires, leurs remarques et leurs précieux conseils : Marie-Violaine Boucher du cégep Bois-de-Boulogne, Marie-Claude Gélinas du collège de Shawinigan, Roxanne Lajoie du collège Lionel-Groulx et François Tousignant du cégep André-Laurendeau.

Les Éditions CEC inc. remercient le gouvernement du Québec de l'aide financière accordée à l'édition de cet ouvrage par l'entremise du Programme de crédit d'impôt pour l'édition de livres, administré par la SODEC.

9001, boul. Louis-H.-La Fontaine
Anjou (Québec) H1J 2C5

Dépôt légal : 2e trimestre 2002
Bibliothèque nationale du Québec
Bibliothèque nationale du Canada

ISBN 978-2-7617-1944-5

Imprimé au Canada
4 5 6 7 8 13 12 11 10

TABLE DES MATIÈRES

Introduction

Le cahier de grammaire et d'exercices *Apprendre à bien écrire par les textes littéraires* s'adresse à tous les élèves du niveau collégial qui désirent renforcer leurs acquis en grammaire et s'initier à l'autocorrection pour parfaire leur expression écrite. Ce cahier représente le complément pratique du manuel *Apprendre à bien écrire par les textes littéraires.*

Le cahier se compose de cinq modules comprenant chacun les sections suivantes :

Réfléchissons sur le texte Un extrait succinct et spécifiquement annoté d'un grand auteur québécois ou étranger offre une vision globale des notions clés qui seront abordées dans le module.

TABLEAUX synthèses Les notions grammaticales, qui sont expliquées en respectant la nouvelle terminologie en vigueur dans les écoles secondaires depuis 1997, sont présentées dans des tableaux synthèses bien structurés et abondamment illustrés.

EXERCICES de grammaire Après les tableaux, de très nombreux exercices de grammaire permettent à l'élève d'assimiler les notions grammaticales présentées et de les approfondir à son rythme.

EXERCICES de renforcement Des exercices de renforcement en grammaire offrent ensuite à l'élève l'occasion de relever des défis plus importants dans l'application des règles étudiées.

Récapitulation Une révision générale et rapide des éléments clés du module est présentée sous forme de récapitulation. À ce stade, l'élève doit montrer une maîtrise satisfaisante des acquis avant d'aborder l'évaluation subséquente.

Autocorrection Dans l'autocorrection, l'élève doit exprimer en ses mots les règles apprises tout en les appliquant à bon escient. Il pourra d'ailleurs utiliser ce modèle pour corriger ses propres textes.

Évaluez VOS CONNAISSANCES Le module se termine par une évaluation de type objectif avec des questions à choix multiples qui permet à l'élève de se situer par rapport aux objectifs à atteindre avant d'aborder les modules subséquents.

Ces différentes sections permettent à l'élève de franchir toutes les étapes qui le mènent de l'assimilation des règles à leur application puis à l'évaluation de ses connaissances ; l'objectif ultime étant de parvenir à une expression écrite de qualité, autant syntaxique que littéraire, inspirée de celle des écrivains qu'il aura découverts tout au long du cahier.

Le cahier se termine par un index des notions grammaticales qui aidera l'enseignant à repérer facilement tous les exercices portant sur la notion qu'il désire faire travailler aux élèves.

LISTE DES ABRÉVIATIONS ET DES SYMBOLES UTILISÉS

erreurs volontaires .... signale la présence d'erreurs volontaires

Groupes de mots

GAdj .... groupe de l'adjectif ou groupe adjectival
GAdv .... groupe de l'adverbe ou groupe adverbial
GN .... groupe du nom ou groupe nominal
GPrép .... groupe prépositionnel
GV .... groupe du verbe ou groupe verbal
GVinf .... groupe du verbe à l'infinitif
GVpart .... groupe du verbe au participe

Classes de mots

Adj .... adjectif
Adv .... adverbe
Conj .... conjonction
Dét .... déterminant
Interj .... interjection
N .... nom
Prép .... préposition
Pron .... pronom
V .... verbe

Fonctions syntaxiques

Attr .... attribut
CD .... complément direct du verbe
CI .... complément indirect du verbe
CP .... complément de phrase
s .... sujet

Autres

Aux. .... auxiliaire
coord. .... coordonnant
Exp .... expansion
F .... féminin
M .... masculin
P .... pluriel
PP .... participe passé
Pron. rel. .... pronom relatif
qqch .... quelque chose
qqn .... quelqu'un
S .... singulier
sub. .... subordonnée
sub. circ. .... subordonnée circonstancielle
sub. complét. .... subordonnée complétive
sub. inf. .... subordonnée infinitive
sub. part. .... subordonnée participiale
sub. rel. .... subordonnée relative
subord. .... subordonnant
* .... phrase agrammaticale
∅ .... effacement d'un élément
1 .... première personne
2 .... deuxième personne
3 .... troisième personne

MODULE 1

Réfléchissons sur le texte

« Une marche en hiver »

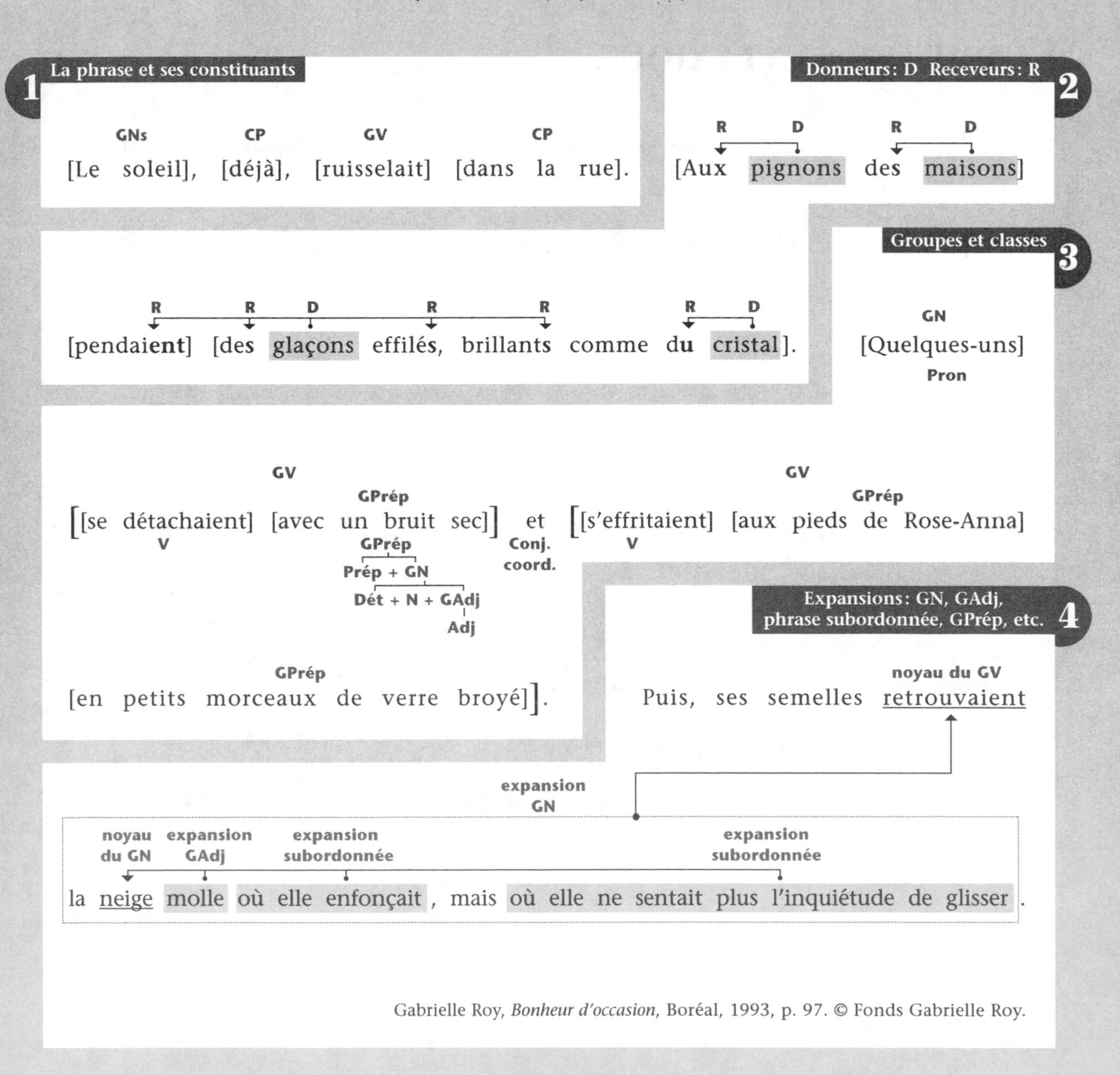

Gabrielle Roy, *Bonheur d'occasion*, Boréal, 1993, p. 97. © Fonds Gabrielle Roy.

TABLEAUX synthèses

DE LA PHRASE AU MOT

En français, la phrase graphique commence par une majuscule et se termine par un signe de ponctuation. À l'intérieur de cette phrase graphique, on peut trouver une ou plusieurs phrases syntaxiques. La phrase syntaxique est un ensemble de groupes de mots qui présente une unité syntaxique.

La phrase syntaxique est constituée de deux groupes obligatoires : le groupe du nom sujet (GNs) et le groupe du verbe (GV), et d'un ou de plusieurs groupes facultatifs compléments de phrase (CP).

LA PHRASE SYNTAXIQUE

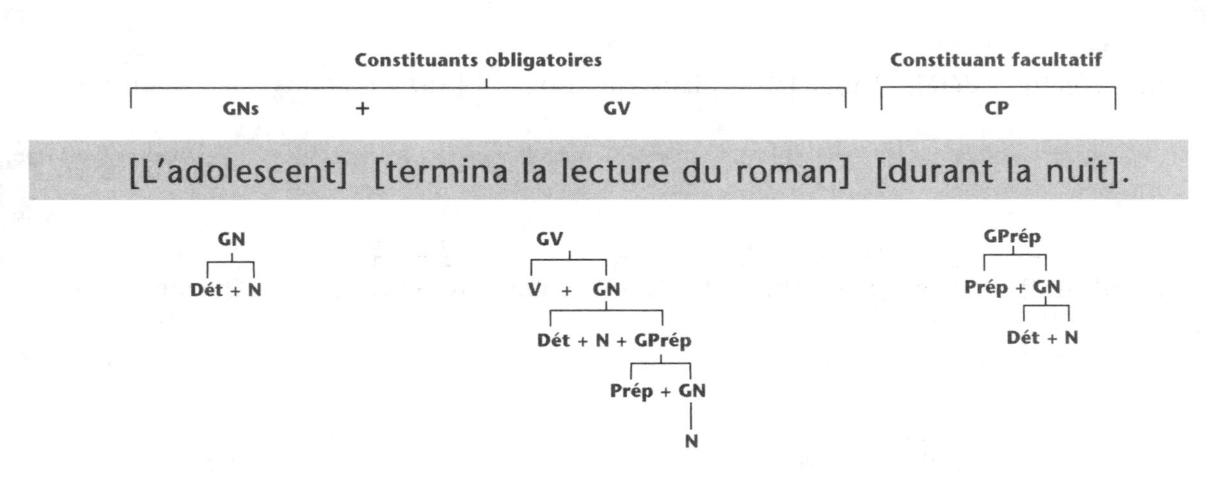

Adapté de Michel Tremblay, *Un ange cornu avec des ailes de tôle*, Leméac/Actes Sud, 1994, p. 163.

GNs	GV	CP
• Non effaçable	• Non effaçable	• Effaçable
• Non déplaçable	• Non déplaçable	• Déplaçable
• Pronominalisable (*Il*)	• Non pronominalisable	• Non pronominalisable

LES GROUPES DE MOTS

Dans la phrase syntaxique, chaque groupe de mots[1] contient un noyau, qui est le mot essentiel du groupe et qui lui donne son nom.

1.1	LES DIFFÉRENTS GROUPES DE MOTS
Groupe du nom (GN)	*Un malaise la reprenant, Florentine s'arrêta.* *Les Lacasse tentent de survivre.*
Groupe du verbe (GV)	*Son terme approchait.*
Groupe de l'adjectif (GAdj)	*Daniel est malade.*
Groupe de l'adverbe (GAdv)	*Elle s'arrêta subitement.*
Groupe prépositionnel (GPrép)	*La scène se passait d'explication.*
Groupe du verbe à l'infinitif (GVinf)	*Lire les grands auteurs est souvent une activité de détente.*
Groupe du verbe au participe présent (GVpart)	*Les baigneurs regardent les vagues déferlant sur le rivage.*

LES CLASSES DE MOTS

Dans les groupes de mots, des caractéristiques syntaxiques, morphologiques et sémantiques communes[2] déterminent l'appartenance des mots à une classe. On peut identifier en français neuf classes: cinq variables et quatre invariables.

1.2 LES NEUF CLASSES DE MOTS

Mots variables	Mots invariables
1. Le nom	1. L'adverbe
2. Le pronom	2. La préposition
3. Le déterminant	3. La conjonction
4. L'adjectif	4. L'interjection
5. Le verbe	

1. Par convention, on parle de «groupe de mots» même quand celui-ci ne contient qu'un seul mot.
2. Seules les caractéristiques jugées utiles aux élèves sont présentées ici.

Les mots variables

Les mots variables sont soit donneurs d'accord (nom, pronom), soit receveurs d'accord (déterminant, adjectif, verbe).

1.3 LE NOM

• Est le noyau du groupe nominal (GN).	GN • [*Des visages inconnus*] *se montraient.*
• Peut être introduit par un déterminant.	• ***Leurs*** *regards se rencontrèrent.*
• Est donneur d'accord en genre et en nombre.	FS MS • ***la*** *vie**ille** horloge*; ***un*** *mensonge* *doulour**eux***
• Peut avoir une ou plusieurs expansions.	GAdj • *Leurs regards* ***perçants*** *se rencontrèrent.*
• A une forme simple ou complexe.	• *des lauriers; des lauriers-roses* *des pommes de terre*

1.4 LE PRONOM

• Remplace généralement un mot ou un groupe de mots.	• ***Daniel****!... Il était tout petit pour son âge.*
• Peut être le noyau d'un groupe nominal s'il remplace un GN.	GN • *Les jeunes* ***diplômées*** *seront honorées.* [*Elles*] *seront très heureuses.*
• Est donneur d'accord en genre, en nombre et en personne.	3FP • *Elles* ***furent seules.***
• Peut avoir une ou plusieurs expansions.	GPrép • *Aucun* ***de ceux qui étaient présents*** *n'a posé sa candidature.*
• A une forme simple ou complexe.	• *Je relus sa lettre, puis la mienne.*

1.5 LE DÉTERMINANT

• Introduit le nom.	• *des visages; les locataires*
• Est receveur d'accord en genre et en nombre.	FS MS • *la salle; le salon*
• A une forme simple, complexe ou contractée.	(à le) • *six mois; beaucoup de locataires; au bout du quai*

1.6 L'ADJECTIF

• Est le noyau du groupe adjectival (GAdj).	• *une rage* [*froide*] (GAdj) *une atmosphère* [*très froide*] (GAdj)
• Est receveur d'accord en genre et en nombre.	• *des visages inconnus* (MP)
• Peut avoir une ou plusieurs expansions.	• *Il est* ***très*** *ambitieux.* (GAdv) *Il est fier* ***de ma réussite.*** (GPrép) *Il est fier* ***que j'aie réussi.*** (subordonnée)
• A une forme simple ou complexe.	• *des enfants sourds* *des enfants sourds-muets*
• Dans un GV, il se trouve après le verbe attributif. *Note*: Seuls les adjectifs qualifiants (ceux qui expriment une qualité) peuvent être mis à la suite du verbe attributif.	• *Sa robe* ***était*** *poussiéreuse.*

1.7 LE VERBE

• Est le noyau du groupe verbal (GV).	• *Florentine* [*discerna sa mère*]. (GV)
• Est receveur d'accord en nombre et en personne.	• *Des meubles s'entassaient.* (3P)
• Peut avoir une ou plusieurs expansions.	• *Je* ***leur*** *laisse* ***une dernière chance.*** (Pron, GN)
• Varie en personne, en temps et en mode.	• *Florentine discerne sa mère.* *Je pensais qu'on aurait eu quelques jours de grâce.*
• A une forme simple ou complexe.	• *Rose-Anna la vit.* *Il a peur du noir.* *Elle se redresse.* *Je lui ai parlé.*
• Peut être attributif ou non attributif.	• *Elles furent seules.* (verbe attributif) *J'ai parlé à la voisine; elle nous prêtera une chambre.* (verbes non attributifs)

1.7	LE VERBE (suite)
• Le verbe attributif a pour expansion: – un GAdj; – un GN; – un GPrép; – un pronom.	– *Sa voix <u>devint</u> **égale**.* – *Ce film <u>est</u> **un chef-d'œuvre**.* – *Il <u>passe</u> **pour loyal**.* – *Ce film est à l'affiche, mais ne **le** <u>restera</u> pas longtemps.*
• Le verbe pronominal comprend le pronom *se* à l'infinitif. Ce pronom réfère au GNs.	• *Florentine <u>**se** redressa</u>. Je <u>**me** redresse</u>.*
• Le verbe passif se compose du verbe *être* et du participe passé du verbe de la phrase active qui lui correspond. Ce verbe passif est le noyau du groupe verbal d'une phrase passive.	GV • *Les feuilles [<u>sont emportées</u> par le vent].* (phrase active correspondante: *Le vent emporte les feuilles.*)
• On peut repérer le verbe en l'encadrant par *ne ... pas*.	• *Florentine desserrait les lèvres.* *Florentine **ne** <u>desserrait</u> **pas** les lèvres.*

Les mots invariables

1.8	L'ADVERBE
• Est le noyau du groupe adverbial (GAdv).	GAdv • [*<u>Brusquement</u>*], *sa pensée dévia.*
• Peut être précédé d'une expansion. Celle-ci est elle-même un groupe adverbial.	GAdv • *Elle se déplaça [**très**] <u>lentement</u>.*
• A une forme simple ou complexe.	• *Elle s'arrêta <u>subitement</u>.* *Elle demeure <u>là-haut</u>.*
• Certains adverbes en *–ment* sont formés à partir d'un adjectif.	• *récent/<u>récemment</u>* *vaillant/<u>vaillamment</u>*

Note: Les adverbes en *–ment* sont souvent formés à partir d'un adjectif féminin auquel est ajouté le suffixe *–ment*: *entier/entière/entièrement*. On ajoute *–ment* à l'adjectif masculin se terminant par une voyelle: *poli/poliment*. On écrit *–amment* si l'adjectif masculin se termine par *–ant*: *abondant/abondamment*. On écrit *–emment* si l'adjectif masculin se termine par *–ent*: *évident/évidemment*.

1.9 LA PRÉPOSITION

• Est le noyau du groupe prépositionnel (GPrép).	GPrép • *un voyage [<u>de</u> quelques semaines]*
• Peut introduire un GPrép complément indirect du verbe.	CI • *Elle pense [<u>à</u> chacun des siens].*
• Peut introduire un GPrép complément de phrase.	CP • *[<u>À</u> minuit], le carrosse se changea en citrouille.*
• A une forme simple, complexe ou contractée.	• *Elle va droit <u>devant</u> elle.* *Il faut passer <u>par-dessus</u> la clôture.* (à le) *Elle descendit <u>au</u> premier arrêt.*

1.10 LA CONJONCTION

• Quand elle relie des éléments par coordination, c'est un coordonnant.	• *Quelques amis <u>et</u> beaucoup de camarades sont arrivés à l'improviste.*
• Quand elle relie des éléments par subordination, c'est un subordonnant.	• *Je pensais <u>qu</u>'on aurait eu quelques jours de grâce.*
• A une forme simple ou complexe.	• *Ses épaules allaient <u>et</u> venaient dans un balancement ininterrompu […] <u>comme si</u> elle berçait un enfant <u>ou</u> une pensée.*

1.11 L'INTERJECTION

• Exprime une émotion ou un sentiment avec des nuances très variées.	• *<u>Ah !</u> que c'est triste !* *<u>Bravo !</u> c'est excellent !*
• Ne joue aucun rôle grammatical.	• *<u>Oh !</u> qu'il vive ! pensa Florentine.*

LES MANIPULATIONS SYNTAXIQUES

Les manipulations syntaxiques[3] sont des opérations qu'on effectue sur des groupes de mots et qui permettent d'en dégager certaines caractéristiques. Elles permettent aussi, entre autres, de vérifier la construction d'une phrase ou la correction d'un accord.

1.12 LES QUATRE PRINCIPALES MANIPULATIONS SYNTAXIQUES

1. Le **remplacement** (substitution) d'un mot ou d'un groupe de mots par un autre permet :	
• de délimiter les frontières d'un groupe ;	• *Les amis du paysan vinrent trouver le chevalier.* *[Ils] vinrent trouver le chevalier.*
• de trouver la classe d'un mot ;	• *Quelques élèves sont déjà arrivés.* *Des élèves sont déjà arrivés.* (*Quelques* est donc un déterminant.) *Ils ont parcouru quelque cent mètres.* *Ils ont parcouru environ cent mètres.* (*Quelque,* dans ce cas, est un adverbe.)
• d'identifier certaines fonctions.	• *[Les amis du paysan] vinrent trouver le chevalier.* *[Ils] vinrent trouver le chevalier.* (*Ils* est toujours sujet du verbe. Donc, *Les amis du paysan* a la fonction sujet.)
2. L'**effacement** d'un mot ou d'un groupe de mots permet :	
• de repérer le noyau de certains groupes de mots ;	• *[Une âcre odeur de charbon] emplit la rue.* *[Une ∅[4] odeur ∅] emplit la rue.* (Seuls le déterminant *une* et le nom *odeur* ne sont pas effaçables. Le mot *odeur* est donc le noyau du groupe entre crochets.)
• de vérifier si les constituants de la phrase sont obligatoires ou facultatifs.	• *[Une âcre odeur de charbon] emplit la rue.* *[5] *∅ emplit la rue.* (Le GNs est obligatoire ; sans lui la phrase est agrammaticale.)
3. Le **déplacement** consiste à changer la place d'un mot ou d'un groupe de mots afin :	
• de délimiter les frontières d'un groupe ;	• *Je les attends depuis quatre heures.* * *Depuis je les attends quatre heures.* * *Quatre heures, je les attends depuis.* *[Depuis quatre heures], je les attends.*
• de trouver certaines fonctions.	• *[Depuis quatre heures], je les attends.* (Le groupe *Depuis quatre heures* a la fonction CP, car il se déplace en tête de phrase.)

3. Les manipulations présentées correspondent aux notions grammaticales abordées.
4. Le symbole ∅ signale l'effacement d'un élément.
5. L'astérisque placé devant une phrase signifie que cette phrase est agrammaticale.

1.12	LES QUATRE PRINCIPALES MANIPULATIONS SYNTAXIQUES (suite)
4. L'**addition** permet de repérer la classe de certains mots.	*Elle évoquerait les voyages tranquilles des bourgeois.* *Elle n'évoquerait pas les voyages tranquilles des bourgeois.* (Comme le mot *évoquerait* peut être encadré par *ne … pas*, il appartient à la classe du verbe.)

LES FONCTIONS

1.13	SUJET (s)
1. Peuvent avoir la fonction sujet (s) :	
• le groupe nominal ;	GN • *Leurs regards se rencontrèrent.*
• le pronom ;	Pron / Pron • *Ils se rencontrèrent. Je pense.*
• le groupe du verbe à l'infinitif ;	GVinf • *Aimer la littérature moderne n'empêche pas d'apprécier les classiques.*
• la subordonnée complétive.	sub. complét. • *Que tu sois venu à temps ne change rien au résultat.*
2. Le groupe qui a la fonction sujet est un groupe constituant obligatoire de la phrase.	*Sa mère la regardait.* **∅ la regardait.*
3. Le groupe sujet n'est pas supprimable.	*Elle s'arrêta subitement.* **∅ s'arrêta subitement.*
4. Le groupe sujet n'est pas déplaçable.	*Elle s'arrêta subitement.* **S'arrêta subitement elle.*
5. Le groupe sujet est remplaçable par un pronom de conjugaison ou par le pronom *cela*.	*Leurs regards se rencontrèrent.* ***Ils** se rencontrèrent.* *Que tu réussisses est peu probable.* ***Cela** est peu probable.*
6. Le groupe sujet précède généralement le groupe verbal. Il arrive cependant que le sujet soit inversé, c'est-à-dire placé après le verbe :	
• dans les phrases interrogatives ;	• *Quand **arrivera** le train ?*
• dans les phrases incises ;	• *« C'est mon travail », **avoua**-t-elle.*
• après un complément de phrase.	• *Le long d'un clair ruisseau **buvait** une colombe.*
7. Pour repérer le groupe sujet, on peut l'encadrer par *C'est … qui* ou *Ce sont … qui*.	*Leurs regards se rencontrèrent.* Ce sont *leurs regards* qui *se rencontrèrent.*

1.14 ATTRIBUT (Attr)

1. L'attribut (Attr) est l'expansion d'un verbe attributif. On distingue : • l'attribut du sujet ; • l'attribut du complément direct du verbe.	 • *Ces deux **perdrix** sont <u>délicieuses</u>.* • *Je **les** trouve <u>délicieuses</u>.*
2. Les groupes qui peuvent avoir la fonction attribut sont : • le groupe adjectival (GAdj) ; • le groupe nominal (GN) ; • le groupe prépositionnel (GPrép) ; • le pronom (Pron).	 • *Les deux perdrix sont <u>délicieuses</u>.* • *Les deux perdrix sont <u>un vrai délice</u>.* • *Les deux perdrix sont <u>à bon prix</u>.* • *L'une est délicieuse, l'autre ne <u>l</u>'est pas.*
3. L'attribut n'est pas supprimable.	**Ces deux perdrix sont ∅.*
4. L'attribut n'est pas déplaçable.	**<u>Délicieuses</u> ces deux perdrix sont.*
5. L'attribut du sujet est pronominalisable par *le*, *l'* ou *en*. L'attribut du complément direct du verbe est non pronominalisable.	*Ces deux perdrix sont <u>délicieuses</u>.* *Ces deux perdrix <u>le</u> sont.*
6. Généralement, l'attribut est placé après le verbe. S'il s'agit d'un pronom, il est placé avant. On peut aussi le trouver en tête de phrase avec une inversion du sujet.	*Tu **as trouvé** les deux perdrix <u>bonnes</u> ; pourtant, elles ne <u>l</u>'**étaient** pas.* *<u>Délicieuses</u> seront ces perdrix si tu ajoutes les bonnes épices.*

1.15 COMPLÉMENT DIRECT DU VERBE (CD)

1. Le complément direct du verbe (CD) peut être : • un groupe nominal ; • un pronom ; • une subordonnée complétive ; • une subordonnée infinitive ; • quelquefois un groupe prépositionnel.	 • *Un malaise reprenait <u>Rose-Anna</u>.* (GN) • *Un malaise <u>la</u> reprenait.* (Pron) • *Elle crut <u>qu'il guérirait</u>.* (sub. complét.) • *J'entends <u>sangloter les fontaines</u>.* (sub. inf.) • *Je crains <u>de mourir</u>.* (GPrép)

1.15 COMPLÉMENT DIRECT DU VERBE (CD) (suite)

2. Le complément direct du verbe est une expansion du verbe non attributif, noyau du groupe verbal.	GV CD *Florentine* [***ouvrit** la porte*].
3. Le complément direct du verbe est placé après le verbe, sauf: • s'il s'agit d'un pronom; • dans les phrases interrogatives; • dans les phrases exclamatives.	 • *Florentine l'**ouvrit**.* • *Quels livres **as**-tu **lus** pendant les vacances?* • *Quel beau temps nous **avons eu** cet été!*
4. Le complément direct du verbe est remplaçable par *le, la, les, en, cela, qqch/qqn*.	*Florentine l'ouvrit.* *Florentine ouvrit* ***quelque chose****.*
5. Le complément direct du verbe ne peut pas être déplacé en tête de phrase.	*Florentine ouvrit la porte.* * *La porte Florentine ouvrit.*

1.16 COMPLÉMENT INDIRECT DU VERBE (CI)

1. Le complément indirect du verbe (CI) est construit avec une préposition qui appartient à la construction du verbe.	*Les locataires se préparent à déménager.* (se préparer à)
2. Le complément indirect du verbe peut être: • un pronom; • un groupe prépositionnel; • un groupe adverbial; • une subordonnée complétive.	Pron • *Mon oncle leur a donné son héritage.* (donner **à**) GPrép • *J'ai parlé à la voisine.* GAdv • *Nous sommes allés partout.* sub. complét. • *Il se plaint que le déménagement a coûté plus cher que prévu.* (se plaindre **de**)
3. Le complément indirect du verbe est une expansion du verbe non attributif, noyau du groupe verbal.	(de les) *Les odeurs* [***émanent** des débris accumulés au sous-sol*].
4. Le complément indirect du verbe est non déplaçable.	* *À la voisine j'ai parlé.*
5. Le complément indirect du verbe est pronominalisable. Il peut être remplacé par *lui, leur, en, y*, Prép + *qqch/qqn*.	*J'ai parlé* [*à ma sœur*]. *Je lui ai parlé.* *Les odeurs émanent* [*de ce contenant*]. *Les odeurs en émanent.*

1.16 COMPLÉMENT INDIRECT DU VERBE (CI) (suite)

6. Le complément indirect se place généralement après le verbe sauf : • s'il est un pronom ; • dans les phrases interrogatives.	 • *Je lui **ai parlé**.* • *Lui **as-tu parlé**?*
7. Le complément indirect du verbe se place après le complément direct. Cependant, s'il est plus court que le complément direct, il peut le précéder.	*Nous avons remis **le manuscrit** à l'éditeur.* *Nous avons remis à l'éditeur **le manuscrit revu et corrigé**.*

1.17 COMPLÉMENT DE PHRASE (CP)

1. Le complément de phrase (CP) peut être : • un groupe nominal qui exprime le temps ou le lieu ; • un groupe prépositionnel ; • un groupe adverbial ; • une subordonnée circonstancielle ; • le pronom *y* équivalant à un groupe prépositionnel désignant un lieu.	 • *Un instant* (GN), *Florentine espéra s'être trompée de maison.* • *Pour la première fois de sa vie* (GPrép), *elle voyait Rose-Anna dans une robe poussiéreuse.* • *Elle écrit quotidiennement* (GAdv) *son journal.* • *Lorsqu'elle se redressa* (sub. circ.), *sa mère la regardait.* • *Elles y furent seules.*
2. Le complément de phrase complète l'ensemble formé par le groupe sujet et le groupe verbal.	[*Au moindre effort*] (CP), [*elle*] (GNs) [*s'essoufflait*] (GV).
3. Le complément de phrase est supprimable.	*Des meubles s'entassaient dans la salle à manger.* *Des meubles s'entassaient ∅.*
4. Le complément de phrase est déplaçable. En tête de phrase, il est détaché par une virgule.	*Des meubles s'entassaient dans la salle à manger.* *Dans la salle à manger*, *des meubles s'entassaient.*
5. Le complément de phrase n'est pas remplaçable par un pronom, sauf par le pronom *y* s'il désigne un lieu.	*Des meubles s'entassaient dans la salle à manger.* *Des meubles s'y entassaient.*
6. Le complément de phrase peut être employé après la tournure *et cela…* ou *et cela se passe…*	*Des meubles s'entassaient* et cela se passait *dans la salle à manger.*

EXERCICES de grammaire

1 Donnez la classe des mots soulignés. Indiquez s'ils sont variables ou invariables. S'ils sont variables, précisez s'ils sont donneurs («D») ou receveurs («R») d'accord.

«Rose-Anna fixait obstinément un point usé du linoléum. Et soudain, sur un ton lâche, mou, fatigué, elle se mit à énumérer leurs malheurs comme si elle se plaisait enfin à les reconnaître tous, les anciens, les nouveaux, les petits, les grands, ceux qui dataient de loin déjà, ceux qui étaient tout récents, ceux qui étaient engourdis au fond de la mémoire et ceux qui palpitaient dans le cœur, au trou d'une blessure fraîche.»

Gabrielle Roy, *Bonheur d'occasion*, Boréal, 1993, p. 271.

Mots	Classe	Variable	Invariable

2 **Dans chacune des phrases suivantes :**

1) donnez deux mots qui pourraient remplacer le mot souligné (le sens de la phrase sera quelque peu modifié) ;

2) donnez la classe des mots soulignés et dites s'ils sont variables ou invariables.

a) Les ouvriers construisent la maison.

b) Ils ont laissé leur bicyclette sur le bord de la route.

c) Il parla longtemps.

d) Ils passèrent chez moi.

e) Ils lui rendirent hommage.

3 **Encerclez tous les déterminants contenus dans les phrases suivantes. Puis, indiquez par une flèche leur donneur d'accord. (Reportez-vous au besoin à « Réfléchissons sur le texte », p. 3, phrase nº 2.)**

a) Puis un itinéraire fut arrêté pour leur voyage, et, afin de ne reculer devant aucun passage difficile, ils décidèrent de louer des chevaux[1]. (G. de Maupassant)

1. Quand un exercice contient plusieurs phrases extraites d'œuvres littéraires, on a omis les guillemets afin d'alléger la lecture.

b) Ces trois hommes qui se tenaient là vivaient depuis leur enfance sur ces mers froides, au milieu de leurs fantasmagories qui sont vagues et troubles comme des visions. (P. Loti)

c) Quelle étrange destinée ! Je fais onze cents lieues de chemin de fer, avec l'idée que jamais peut-être je ne reviendrais, et, rendu au terme de ce long et accablant voyage, malade, affaibli de corps et d'esprit, à peine avais-je pris quelques jours de repos, que je préparais déjà mes malles pour le retour ! (A. Buies)

4 Dans ce texte :

1) soulignez d'un trait les adjectifs (ou participes passés employés sans auxiliaire) qui font partie du GN et de deux traits ceux qui font partie du GV ;

2) faites une flèche du mot donneur d'accord vers l'adjectif receveur d'accord. (Au besoin, reportez-vous à « Réfléchissons sur le texte », p. 3, phrase n° 2.)

« En vraie provinciale, ma charmante mère, "Sido", tenait souvent ses yeux de l'âme fixés sur Paris. Théâtres de Paris, modes, fêtes de Paris ne lui étaient ni indifférents, ni étrangers. [...] Le peu qu'elle goûtait de Paris, tous les deux ans environ, l'approvisionnait pour le reste du temps. [...]

5 En une semaine elle avait visité la momie exhumée, le musée agrandi, le nouveau magasin, entendu le ténor et la conférence sur la *Musique birmane*. Elle rapportait un manteau modeste, des bas d'usage, des gants très chers. Surtout elle nous rapportait son regard gris voltigeant, son teint vermeil que la fatigue rougissait, elle revenait ailes battantes, inquiète de tout ce qui,

10 privé d'elle, perdait la chaleur et le goût de vivre. Elle n'a jamais su qu'à chaque retour l'odeur de sa pelisse en ventre-de-gris, pénétrée d'un parfum châtain clair, féminin, chaste, éloigné des basses séductions axillaires, m'ôtait la parole et jusqu'à l'effusion. »

Colette, « Sido », dans *Romans, récits, souvenirs (1920-1940)*,
Robert Laffont, 1989, p. 760.

5 **Donnez la classe des mots entre parenthèses et accordez-les s'il y a lieu. Justifiez l'accord.**

a) C'étaient des cris prolongés, très hauts, très (effrayant), – des cris (navrant).

___

___

b) Ainsi, dit Dupin en (se tournant) à moitié vers moi, voilà précisément le cas demandé pour rendre l'(ascendant) complet : le voleur sait que la personne volée connaît son voleur.

___

___

c) Notre fonctionnaire l'agrippa dans une parfaite agonie de joie, l'ouvrit d'une main (tremblant), jeta un coup d'œil sur son contenu, puis (attrapant) précipitamment la porte, se rua sans plus de cérémonie hors de la chambre.

___

___

d) Aux deux bouts de son axe, cette vis est surmontée par des (montant) cylindriques de cuivre (descendant) du cerveau.

___

___

e) Par l'opération de ce ressort, la vis est forcée et tournée avec une grande rapidité, (communiquant) à l'ensemble un mouvement de progression.

___

Edgar Allan Poe, *Histoires extraordinaires*, 1839.

6 Dans l'extrait ci-dessous:

« Dans cette province reculée, au milieu de la bêtise somnolente des petites villes, ils avaient ainsi, dès quatorze ans, vécu isolés, enthousiastes, ravagés d'une fièvre de littérature et d'art. Le décor énorme d'Hugo, les imaginations géantes qui s'y promènent parmi l'éternelle bataille des antithèses, les
5 avaient d'abord ravis en pleine épopée, gesticulant, allant voir le soleil se coucher derrière des ruines, regardant passer la vie sous un éclairage faux et superbe de cinquième acte. Puis Musset était venu les bouleverser de sa passion et de ses larmes, ils écoutaient en lui battre leur propre cœur, un monde s'ouvrait plus humain, qui les conquérait par la pitié, par l'éternel cri de mi-
10 sère qu'ils devaient désormais entendre monter de toutes choses. Du reste, ils étaient peu difficiles, ils montraient une belle gloutonnerie de jeunesse, un furieux appétit de lecture, où s'engouffraient l'excellent et le pire, si avides d'admirer, que souvent des œuvres exécrables les jetaient dans l'exaltation des purs chefs-d'œuvre. »

Émile Zola, *L'œuvre*, 1886.

1) relevez les adjectifs (ou les participes passés employés sans auxiliaire) qui font partie du GN et ceux qui font partie du GV;

Adjectifs (ou participes passés employés sans auxiliaire) qui font partie du GN:

____

____

____

____

Adjectifs (ou participes passés employés sans auxiliaire) qui font partie du GV:

____

____

____

____

2) relevez les adjectifs qui sont employés comme noms.

____

____

7 **Soulignez tous les adverbes contenus dans ces trois extraits.**

a) La comtesse Gilberte reparla de promenade à cheval que tous les quatre feraient ensemble. Jeanne, lasse des longs soirs, des longues nuits, des longs jours pareils et monotones, consentit, tout heureuse de ces projets. (G. de Maupassant)

b) La violence que Julien était obligé de se faire était trop forte pour que sa voix ne fût pas profondément altérée; bientôt la voix de Mme de Rênal devint tremblante aussi, mais Julien ne s'en aperçut point. (Stendhal)

c) Tout à Clochegourde portait le cachet d'une propreté vraiment anglaise. Le salon où restait la comtesse était entièrement boisé, peint en gris de deux nuances. [...] Aucun appartement, parmi ceux que j'ai vus depuis, ne m'a causé des impressions aussi fertiles, aussi touffues que celles dont j'étais saisi dans ce salon de Clochegourde, calme et recueilli comme la vie de la comtesse, et où l'on devinait la régularité conventuelle de ses occupations. (H. de Balzac)

8 **1) Formez des adverbes à partir des mots soulignés.**

a) C'était d'ailleurs un enfant <u>triste</u>, <u>grave</u>, <u>sérieux</u>, qui étudiait ardemment et apprenait vite.

___

___

b) Un homme se promenait imperturbablement devant la <u>bruyante</u> taverne, y regardant sans cesse, et ne s'en écartant pas plus qu'un piquier de sa guérite.

___

c) Il est, à coup sûr, peu de plus belles pages architecturales que cette façade où, successivement et à la fois, les trois portails creusés en ogive, l'immense rosace centrale flanquée de ses deux fenêtres latérales comme le prêtre du diacre et du sous-diacre, la haute et frêle galerie d'arcades à trèfle qui porte une lourde plate-forme sur ses fines colonnettes, enfin les deux noires et massives tours avec leurs auvents d'ardoise, parties harmonieuses d'un **tout** magnifique, superposées en cinq étages gigantesques, se développent à l'œil, en foule et sans trouble, avec leurs innombrables détails de statuaire, de sculpture et de ciselure, ralliés puissamment à la tranquille grandeur de l'ensemble ; vaste symphonie en pierre, pour ainsi dire, œuvre colossale d'un homme et d'un peuple. (V. Hugo)

______

______

______

______

______

2) À partir de vos réponses, énoncez la règle de formation de ces adverbes.

______

______

3) Quelle est la classe du mot « tout » en gras au numéro *c)* ?

______

9 **Dans chacune des phrases suivantes, le groupe prépositionnel est incomplet. Ajoutez la préposition qui convient en choisissant parmi les prépositions suivantes :**

à, dans, de, devant, durant, en, entre, pour, sans, sous, sur

a) Les cochons restent dehors (________) l'hiver. On prétend que ça les dégourdit. (J. Ferron)

b) Aurélie Caron trottine (________) la neige, son ombre légère et dansante (________) elle. Un homme vêtu d'un manteau de chat sauvage vient (________) sa rencontre sur la route dans le grand froid de l'hiver. (A. Hébert)

c) Le froid assassin et ses acolytes se sont jetés (________) lui comme une proie ; ils ont raidi (________) toujours ses membres forts, couvert (________) neige le beau visage franc, fermé ses yeux hardis (________) pitié ni douceur ; fait un bloc glacé de son corps vivant. (L. Hémon)

d) Il faisait plein jour maintenant, et la contrée dévastée, ces gorges étroites, ces pentes raides, prenaient, (________) leur couche de neige, la désolation d'un océan de glace, immobilisé (________) la tourmente. Jamais encore Jacques ne s'était senti pénétrer d'un tel froid. Sous les mille aiguilles de la neige, son visage lui semblait (________) sang ; et il n'avait plus conscience de ses mains, paralysées par l'onglée, devenues si insensibles, qu'il frémit en s'apercevant qu'il perdait, (________) ses doigts, la sensation du petit volant du changement de marche. (É. Zola)

10 **Indiquez entre parenthèses la classe du mot « que » (ou « qu' »). S'il s'agit d'un pronom, faites une flèche vers le mot auquel il renvoie.**

a) Je compris qu' (________) il cherchait à atténuer la déclaration du jury, et à mettre dessous, au lieu de la peine qu' (________) elle provoquait, l'autre peine, celle que (________) j'avais été si blessé de lui voir espérer.

b) Ils me content leurs tours, ce serait à faire horreur, mais je sais qu' (conjonction ___________) ils se vantent.

c) Quand on entend parler cette langue, cela fait l'effet de quelque chose de sale et de poudreux, d'une liasse de haillons que (pronom rel.) l'on secouerait devant vous.

d) Peut-être n'ont-ils jamais réfléchi, les malheureux, à cette lente succession de tortures que renferme la formule expéditive d'un arrêt de mort ? [...] Ils ne voient dans tout cela que (pronom rel.) la chute verticale d'un couteau triangulaire, et pensent sans doute que (conjonction) pour le condamné il n'y a rien avant, rien après.

Victor Hugo, *Le dernier jour d'un condamné*, 1832.

11 Dans chacune des répliques ci-dessous, soulignez d'un trait les prépositions et de deux traits les conjonctions de coordination.

a) FIGARO — Qu'il y a, Messieurs, malice, erreur, ou distraction dans la manière dont on a lu la pièce ; car il n'est pas dit dans l'écrit : *laquelle somme je lui rendrai et je l'épouserai* ; mais *laquelle somme je lui rendrai ou je l'épouserai* ; ce qui est bien différent. (Beaumarchais)

b) MAÎTRE DE PHILOSOPHIE — Soit. Pour bien suivre votre pensée et traiter cette matière en philosophe, il faut commencer, selon l'ordre des choses, par une exacte connaissance de la nature des lettres et de la différente manière de les prononcer toutes. (Molière)

c) GUILLEMETTE — Il se meurt. Jamais vous n'avez entendu pareille tempête ni pareille frénésie. Il est encore à délirer : il délire, il chante, il embrouille tant de langages, et il bredouille. (*La farce de maître Pierre Pathelin*)

12 **Pour chacune des phrases ci-dessous, tirées de diverses nouvelles de Prosper Mérimée, distinguez les déterminants (Dét) des pronoms (Pron) et les conjonctions de subordination (Conj. subord.) des pronoms relatifs (Pron. rel.). Pour les pronoms, faites une flèche vers l'antécédent s'il y a lieu.**

a) Et tous **les** (______) soirs, en ôtant son bouquet, Mathilde **le** (______) posait dans **le** (______) vase étrusque.

b) Il **se** (______) leva et **se** (______) tourna du côté de la plaine d'où partait **ce** (______) bruit.

c) **Ce** (______) n'était pas une opération fort longue, car la cabane d'un Corse ne consiste qu'en une seule pièce carrée.

d) Julie s'imagina **que** (______) son irrésolution **l'**(______) avait choqué, et **qu'**(______) il **la** (______) prenait pour une prude ridicule.

e) Quelques vieillards murmuraient contre le scandale **qu'**(______) ils avaient occasionné par **leur** (______) présence.

f) Il acheva de **l'**(______) enthousiasmer pour la Corse en **lui** (______) décrivant **l'**(______) aspect étrange, sauvage du pays, le caractère original de **ses** (______) habitants, **leur** (______) hospitalité et **leurs** (______) mœurs primitives.

g) Distribuant de l'ouvrage à Miss Nevil et à Chilina, elle **les** (______) exhortait à coudre **les** (______) bandes et à **les** (______) rouler; elle **leur** (______) demandait pour la vingtième fois si **la** (______) blessure d'Orso **le** (______) faisait beaucoup souffrir.

13 **Complétez chacune des phrases par la conjonction appropriée. Parfois, plusieurs réponses sont possibles.**

a) Gavroche était un chat à expression futée (coord.) ____________________ narquoise. (T. Gautier)

b) À force d'être fouettée, je finis par comprendre (subord.) ____________________ la propreté extérieure devait être toute la vertu d'une Chatte anglaise. Jamais personne ne me vit (coord.) ____________________ mangeant, (coord.) ____________________ buvant, (coord.) ____________________ faisant ma toilette. (H. de Balzac)

c) (subord.) ____________________ Renart déplore sa mésaventure, il finit par découvrir, dans une rue, Tibert le chat qui se divertit sans suite et sans escorte. [...] Tibert a intérêt à se taire, (coord.) ____________________ Renart est fort en colère. (*Le roman de Renart*)

d) M. Seguin s'apercevait bien que sa chèvre avait quelque chose, (coord.) ____________________ il ne savait pas ce que c'était. (A. Daudet)

e) Laurent avait une haine particulière pour le chat tigré François qui, (subord.) ____________ il arrivait, allait se réfugier sur les genoux de Mme Raquin. (subord.) ____________________ Laurent ne l'avait pas encore tué, c'est qu'à la vérité il n'osait le saisir. (É. Zola)

14 **Dans chacune des phrases suivantes, donnez la classe du mot souligné et remplacez-le par un autre mot de la même classe (il se peut que le sens de la phrase soit légèrement modifié).**

a) Elle se dit que regarder ses mains la troublerait toujours. (A.-M. Alonzo)

____

b) Je me croyais défait de ma mère et je me découvrais d'autres liens avec la terre. (A. Hébert)

____

c) Notre relation ancienne survivait donc en moi sous sa double figure : une dépendance chérie et détestée. (S. de Beauvoir)

____

d) Ainsi parlait ma mère, quand j'étais moi-même, autrefois, une très jeune femme. (Colette)

____

e) C'est de ta seule absence que je suis habitée. (C. DesRochers)

____

f) Je ferai miennes ces idées modernes qui cadraient difficilement avec celles qu'on m'inculquait en classe. (D. Bombardier)

____

g) Je souhaite raconter l'histoire vraie des autres. (A. Maillet)

____

15 Dans l'extrait suivant :

1) soulignez les GNs et reliez le noyau du groupe à la terminaison du verbe par une flèche (reportez-vous au besoin à « Réfléchissons sur le texte », p. 3, phrase nº 2) ;

« Dans la salle à manger, des meubles qu'elle ne reconnaissait pas s'entassaient contre la cloison ; des visages inconnus se montraient entre les caisses éventrées, les cuvettes remplies de linge et les chaises qui **montaient** l'une sur l'autre jusqu'au plafond. »

Gabrielle Roy, *Bonheur d'occasion*, Boréal, 1993, p. 269. © Fonds Gabrielle Roy.

2) expliquez l'accord du verbe « montaient » (en gras) en vous référant au pronom « qui » ;

____

____

____

3) encadrez l'expansion du mot « meubles » (l. 1). (Reportez-vous au besoin à « Réfléchissons sur le texte », p. 3, phrase n° 4.) Récrivez ensuite la phrase sans cette expansion. Justifiez l'accord du verbe.

____

____

____

16 Soulignez le GNs dans chacune des phrases suivantes, puis récrivez les phrases en encadrant ce GNs par « c'est ... qui » ou « ce sont ... qui » pour vérifier votre réponse.

a) Ses ambitions, ses griefs se levaient et l'enserraient de leur réseau familier d'angoisse. (G. Roy)

____

____

b) Cet appel banal, cent fois répété, n'éveillait plus de pitié en Florentine. (G. Roy)

____

____

c) Le froid assassin et ses acolytes se sont jetés sur lui comme une proie. (L. Hémon)

____

____

17 **Dans les phrases ci-dessous, encadrez les expansions des noyaux soulignés et indiquez au-dessus d'elles s'il s'agit d'un GAdj, d'un GPrép, d'un GAdv ou d'une subordonnée. (Reportez-vous au besoin à « Réfléchissons sur le texte », p. 3, phrase nº 4.)**

a) Lorsqu'elle se redressa, pâle, [...] sa mère la regardait.

b) Elle la regardait avec des yeux agrandis, fixes, et une expression de muette horreur.

c) Alors Florentine, avec une impression de recul infini, se vit toute jeune, gaie, fiévreuse sous le regard de Jean.

d) Elle tourna sur elle-même, ouvrit la porte d'un coup sec et s'enfuit dans une lame de vent qui semblait la happer.

18 **Dans ces phrases, ajoutez une expansion (GAdj, GPrép, GAdv ou subordonnée) aux noyaux soulignés.**

a) Son terme approchait (GAdv).

____

b) Leurs regards (GAdj) se rencontrèrent.

____

c) La scène (sub.) se passait d'explication.

____

d) Je pourrais te faire (GAdv) une omelette (GAdj).

____

e) Mais Florentine devant elle ne desserrait pas (GPrép) les lèvres.

____

f) Mais Rose-Anna (GAdj ou sub.) avait détourné la tête.

___

g) Un malaise la reprenait (GPrép).

___

Les phrases des exercices 17 et 18 sont extraites de Gabrielle Roy, *Bonheur d'occasion*, Boréal, 1993, p. 269-273. © Fonds Gabrielle Roy.

19 Dans les passages suivants :

1) cherchez trois phrases syntaxiques dans lesquelles le GNs est inversé et soulignez-le ;

2) récrivez ensuite ces phrases en plaçant le GNs avant le verbe.

a) Le vent est tombé, et avec lui s'est éteint ce doux frémissement de l'herbe qui soutient la conversation avec le passant fatigué et lui tient compagnie. (V. Hugo)

b) À l'extrémité de cette arène s'élevait une de ces roches isolées que les Gaulois appellent dolmens, et qui marquent le tombeau de quelque guerrier. (F. R. de Chateaubriand)

c) Alors on vit s'avancer sur l'estrade une petite vieille femme de maintien craintif, et qui paraissait se ratatiner dans ses pauvres vêtements. Elle avait aux pieds de grosses galoches de bois, et, le long des hanches, un grand tablier bleu. Son visage maigre, entouré d'un béguin sans bordure, était plus plissé de rides qu'une pomme de reinette flétrie, et des manches de sa camisole rouge dépassaient deux longues mains, à articulations noueuses. (G. Flaubert)

1. ___

___

2. ___

___

3. ___

___

___

___

20 **Composez trois phrases qui contiennent chacune un GNs inversé.**

1. ______________________________

____

2. ______________________________

____

3. ______________________________

____

21 **Dans les phrases suivantes, soulignez les groupes compléments directs (CD) et encadrez les groupes compléments indirects (CI) en précisant la classe du noyau du groupe.**

a) Florentine discerna bientôt sa mère au bord d'une chaise. Rose-Anna la vit, fit un sourire distrait.

____

b) Je pensais qu'on aurait eu quelques jours de grâce, mais ces gens-là ont payé.

____

c) J'ai parlé à la voisine ; elle nous prêtera une chambre.

____

Adapté de Gabrielle Roy, *Bonheur d'occasion*,
Boréal, 1993, p. 269-273.

22 **Dans le tableau ci-dessous, cochez les caractéristiques syntaxiques des compléments directs (CD) et indirects (CI). (Vous pouvez vous référer à l'exercice précédent.) Vous dégagerez ainsi les caractéristiques qui sont communes au CD et au CI et celles qui les distinguent.**

Caractéristiques syntaxiques	CD	CI
Est une expansion d'un verbe non attributif.		
Est généralement placé après le verbe.		
Peut être remplacé par les pronoms *le*, *la*, *les*.		
Peut être remplacé par les pronoms *lui*, *leur*, *en*, *y*.		
Peut être déplacé en tête de phrase.		
Peut être remplacé par une préposition + *qqch*.		

23 **Dans les phrases ci-dessous :**

1) soulignez d'un trait tous les groupes de mots non déplaçables et de deux traits ceux que vous pouvez déplacer ;

2) récrivez la phrase en déplaçant le groupe déplaçable s'il y en a un.

a) Il volait à un autre son existence, sa vie, sa place au soleil.

____

b) J'aurai gagné dix millions dans dix ans.

____

c) Il se remit à marcher.

____

d) Florentine, la première, abaissa la vue.

____

e) Dans le faubourg, il y avait un vieux dicton : les enfants trop intelligents ne vivaient pas longtemps.

____

____

f) Ses épaules allaient et venaient dans un balancement ininterrompu.

____

____

Les phrases *a), b)* et *c)* sont extraites de Victor Hugo, *Les misérables*, 1862 ;
les phrases *d), e)* et *f)*, de Gabrielle Roy, *Bonheur d'occasion*, Boréal, 1993, p. 269-273. © Fonds Gabrielle Roy.

24 Dans les phrases suivantes, remplacez les groupes compléments directs (CD) et indirects (CI) par des pronoms personnels. Faites les accords qui en résultent.

a) Nous avons invité à ce concert les plus grands musiciens.

____

____

b) Une grande foule a empêché la vedette d'arriver à temps à la salle de spectacle.

____

____

c) Je n'ai pas encore envoyé aux amis les cartes d'invitation.

____

____

d) Nous avons présenté la directrice à tous les employés de l'entreprise.

____

____

e) Sous les branches abattues du jardin, nous avons découvert deux petites chattes.

____

____

25 **1) Recopiez les extraits ci-dessous en faisant les remplacements demandés et effectuez toutes les modifications nécessaires.**

2) Observez les mots qui ont subi des modifications et dites quelle est leur classe.

***a)* Remplacez « larmes » par « pleurs ».**

Des larmes montaient à ses paupières, brûlantes de révolte.

***b)* Remplacez « ton » par « plainte » et « malheurs » par « difficultés ».**

Et soudain, sur un ton lâche, mou, fatigué, elle se mit à énumérer leurs malheurs comme si elle se plaisait enfin à les reconnaître tous, les anciens, les nouveaux, les petits, les grands, ceux qui dataient de loin déjà, ceux qui étaient tout récents, ceux qui étaient engourdis au fond de la mémoire et ceux qui palpitaient dans le cœur, au trou d'une blessure fraîche.

***c)* Remplacez « Florentine » par « Florent », « Jean » par « Jeanne » et « joie » par « bonheur ».**

Alors Florentine, avec une impression de recul infini, se vit toute jeune, gaie, fiévreuse sous le regard de Jean. Et cette joie lointaine étant insupportable à son souvenir, plus horrible, plus dure qu'un reproche exprimé, elle tourna sur elle-même, ouvrit la porte d'un coup sec et s'enfuit dans une lame de vent qui semblait la happer.

d) Remplacez « chose » par « objet ».

Elle semblait être devenue une chose inerte, indifférente, à demi enfoncée dans le sommeil.

____

____

____

26 Recopiez tous les pronoms des phrases suivantes et spécifiez pour chacun, entre parenthèses, le mot qu'il remplace (son antécédent ou le mot auquel il fait référence). Donnez la fonction de chaque pronom.

a) Un instant, Florentine espéra s'être trompée de maison dans sa hâte, car, en vérité, bien que l'attente sur le seuil lui eût paru longue, elle était entrée très vite.

____

____

____

b) Lorsque [Florentine] se redressa, pâle, le visage humilié, sa mère la regardait. Elle la regardait comme si elle ne l'avait jamais encore vue, et la découvrait soudain.

____

____

____

____

c) Pour la première fois de sa vie, elle voyait Rose-Anna dans une robe poussiéreuse et les cheveux défaits. Et l'accablement de celle qui, à travers tous les malheurs, était pourtant jusque-là restée vaillante, lui apparut comme le signe certain de leur effondrement à tous, de son effondrement à elle en particulier.

____

____

____

____

Les phrases des exercices 25 et 26 sont extraites de Gabrielle Roy, *Bonheur d'occasion*, Boréal, 1993, p. 271 et 273. © Fonds Gabrielle Roy.

EXERCICES de renforcement

1 **1) Relevez, dans l'extrait suivant, tous les mots qui font partie de la catégorie des mots variables, puis classez-les dans le tableau ci-dessous.**

«Je le trouvai qui lisait tranquillement. Nox dormait à ses pieds devant la cheminée, où le feu allait s'éteindre. Je me souviens qu'à la porte, je m'arrêtai un instant pour jouir de l'aspect charmant de la salle. Il aimait passionnément la verdure et les fleurs et j'en mettais partout. Par la fenêtre ouverte, à travers le feuillage, j'apercevais la mer tranquille, le ciel radieux. Sans lever les yeux de son livre, mon père me demanda ce qu'il y avait.»

Laure Conan, *Angéline de Montbrun*, 1882.

LES MOTS VARIABLES				
Noms	**Pronoms**	**Déterminants**	**Adjectifs**	**Verbes**

2) Quelles sont les classes de mots invariables?

____

3) Donnez les classes de mots qui peuvent subir l'effacement.

____

2 Donnez la classe des mots soulignés en les reportant dans le tableau ci-dessous. Écrivez « I » pour les mots invariables. Pour les mots variables, écrivez « R » pour les receveurs d'accord et « D » pour les donneurs d'accord.

« Royaume candide, précaire, éternel, ô neige ! Tu fais de l'homme un enfant gai, appliqué à sa consciencieuse oisiveté sportive. Tu as créé ce luxe : le devoir de s'amuser, le souci de vivre pour un corps qu'enrichit, que perfectionne chaque heure à toi consacrée, et qui, dans chaque chute, puise une force neuve. Tu vois tes
5 fidèles quitter l'hôtel au petit jour, à l'heure où l'aube rapide laisse dormir le pied violacé des monts, mais découpe leur front comme dans un métal orangé, dur, incandescent, qui taillade l'azur. Ils partent, leurs longues ailes de bois effilé liées sur une épaule et le double bâton dans la main. Ils sont sages et graves comme s'ils avaient tous dix ans.

10 Ils ont choisi la veille le but du lendemain, un point arbitraire et invisible : la corne d'une montagne ou bien un chalet perdu sous son auvent fourré de neige. Ici ou là, qu'importe ? Ici ou là, pourvu que ce soit au prix d'un effort régulier, d'une gymnastique corporelle et mentale. »

Colette, « Le voyage égoïste », dans *Romans, récits, souvenirs (1920-1940).* Robert Laffont, 1989, p. 154-155.

Noms	Pronoms	Déterminants
Adjectifs	**Verbes**	**Adverbes**
Prépositions	**Conjonctions**	**Interjections**

3 **Dans les phrases suivantes, soulignez tous les GNs et encerclez leur noyau, puis remplacez ces GNs par un pronom.**

a) Le long d'un clair ruisseau buvait une colombe.

b) Mourir pour son pays n'est pas un triste sort.

c) Cette chaleur qui lui collait à la peau devenait chaque jour plus insupportable.

d) Un souffle, une ombre, un rien, tout lui donnait la fièvre.

e) Les quand et les comment plongèrent le jeune homme dans un profond embarras : il ne les avait pas prévus.

f) Au petit matin, les deux hommes, épuisés et haletants, rentrèrent bredouilles.

g) Déjà tombe la nuit et s'évanouissent dans la brume du soir les silhouettes des passants affairés.

4 **Soulignez tous les groupes compléments directs (CD) et indiquez s'il s'agit d'un groupe nominal (GN) ou d'un pronom (Pron).**

a) La pluie monotone retient ma pensée dans une rêverie mélancolique.

____

b) La rivière avait inondé le champ.

____

c) Ce matin, j'ai pris une grande résolution et je la tiendrai.

____

d) Dans le ciel volent de grands oiseaux blancs; je les vois planer avec grâce.

____

e) Cette vieille chaise ne supporte pas le poids d'un adulte.

____

f) Qui veut tout n'a rien.

____

5 **1) Soulignez les groupes compléments indirects (CI), puis pronominalisez-les.**

2) Quelle classe de mots est présente au début de chaque complément?

a) Il obéit aux ordres.

____

____

b) On ne saurait penser à tout.

____

____

c) Dans son berceau, le bébé sourit à sa maman.

d) Tu dois te souvenir de nos jeunes années.

e) Le médecin a prescrit ce remède au malade.

f) On s'accoutume à bien parler en lisant souvent ceux qui ont bien écrit.

6 Soulignez les groupes compléments du verbe en précisant au-dessus s'il s'agit d'un complément direct (CD) ou d'un complément indirect (CI). Récrivez ces phrases en pronominalisant ces compléments quand c'est possible et faites les accords nécessaires.

a) La neige a enseveli les maisons.

b) Un paysage tout blanc a fait place à la grisaille automnale.

c) La blancheur de cette neige nous a éblouis.

d) Nous apprécions que vous participiez à cette randonnée.

e) Je n'ai jamais douté de ses capacités.

___

f) Nous songeons à acheter un nouvel équipement.

___

g) Nous leur avons donné la chance de réussir.

___

h) La sève montante du printemps confère aux érables une beauté et une délicatesse sans pareilles.

___

7 Dans les phrases ci-dessous:

1) soulignez d'un trait tous les groupes compléments du verbe et de deux traits tous les groupes compléments de phrase;

2) récrivez les phrases en déplaçant les compléments de phrase.

a) Les vents se lèvent parfois avec une soudaineté étonnante.

___

___

b) Avec une bonne bicyclette, on peut passer d'agréables vacances.

___

___

c) L'odeur de l'automne, depuis quelques jours, se glissait, le matin, jusqu'à la mer.

___

___

d) Il allait à pas rapides.

___

e) Il se promenait pour son plaisir.

f) Il va sans se fatiguer et flâne en chantant.

g) Tu seras châtié de ta témérité.

h) Je me cramponnai avec force au cheval pour ne pas vider les arçons.

8 Soulignez les GNs dans les phrases suivantes et faites une flèche du noyau vers la terminaison du verbe qui reçoit l'accord. (Au besoin, reportez-vous à « Réfléchissons sur le texte », p. 3, phrase nº 2.)

a) Personne ne releva ce nom, qui résonna sèchement au milieu d'un silence absolu et résolu. (E. Fromentin)

b) Vendramin vit d'opium, celui-ci vit d'amour, celui-là s'enfonce dans la science, la plupart des jeunes gens riches s'amourachent d'une danseuse, les gens sages thésaurisent; nous nous faisons tous un bonheur ou une ivresse. (H. de Balzac)

c) Des gens qui n'ont jamais lu le livre, et surtout qui n'ont aucune intention de le lire, connaissent pourtant son titre. Trouver ce titre m'a coûté cinq minutes de ma vie. J'ai pris trois ans pour écrire le livre. (D. Laferrière)

d) L'ami observait Emilio, cherchait en lui quelques indices du bonheur et n'y trouvait que l'expression d'un amour pur et mélancolique. (H. de Balzac) *e)* Le moraliste, l'artiste et le sage administrateur regretteront les anciennes Galeries de bois du Palais-Royal où se parquaient ces brebis qui viendront toujours où vont les promeneurs; et ne vaut-il pas mieux que les promeneurs aillent où elles sont? Qu'est-il arrivé? Aujourd'hui les parties les plus brillantes des boulevards, cette promenade enchantée, sont interdites le soir à la famille. (H. de Balzac)

f) En partant, maman était le plus souvent rieuse, portée à l'optimisme et même au rêve, comme si de laisser derrière elle la maison, notre ville, le réseau habituel de ses contraintes et obligations, la libérait, et dès lors elle atteignait l'aptitude au bonheur qui échoit à l'âme voyageuse. (G. Roy)

9 Pour chacune des phrases ci-dessous, soulignez d'un trait les groupes compléments directs (CD) et encadrez les groupes compléments indirects (CI).

a) Chez les artisans et les sculpteurs, les matériaux les plus divers s'étaient donné rendez-vous. (L. Hamelin)

b) Saint-Henri me racontait encore une fois le gaspillage que nous avons fait de l'énergie humaine, de l'espoir de demain, alors que nous nous disions trop pauvres pour entreprendre les travaux de construction. (G. Roy)

c) Il faut que j'anticipe leurs brusques virages et leurs brusques arrêts, leurs faux faux-pas et leurs crocs-en-jambe déguisés. S'il fallait les croire, je ferais des progrès extraordinaires, je brûlerais les étapes, je ferais des pas de géant. (R. Ducharme)

d) On la surveillait avec les yeux de ceux qui auraient regardé une boîte dont pouvait surgir un serpent. (R. Carrier) *e)* Il prit des rues au hasard, fit de nombreux détours à cause des travaux de voirie, et il se retrouva près du centre commercial où il avait renouvelé ses provisions. (J. Poulin)

f) Divine avait rencontré Mignon tout à fait par hasard, et l'avait accompagné sans lui reprocher sa fuite. (J. Genet)

g) Les bulldozers grondaient de leur force géante en arrachant les souches : ils roulaient la terre, comblaient les trous, poussaient les pierres, [...] et rasaient les sapins malingres. (R. Carrier)

h) Oh ! je l'ai senti tout de suite à votre voix, que vous ne me disiez pas la vérité. (A. Gide)

i) Il tourna la tête, un peu vite peut-être, et aperçut un homme en imperméable de l'armée qui lui faisait signe d'une main et tenait le paquet de l'autre. (J. Le Carré)

j) Monsieur, les quelques pages que je viens de parcourir me suffisent pour savoir très bien à qui j'ai affaire. (A. de Villiers de L'Isle-Adam)

k) J'ai lu des ouvrages inabordables de milliers de pages, j'ai consulté des biologistes de toutes sortes; tant et si bien que j'ai réussi à élever une florissante colonie d'amibes. (R. Ducharme)

10 Indiquez la fonction des mots ou des groupes de mots soulignés dans chacune des phrases suivantes, tirées des romans champêtres de George Sand.

a) Une vaste campagne s'étend au loin, on y voit de pauvres cabanes.

b) Alors on apporte la corbeille, et le couple païen y plante le chou avec toutes sortes de soins et de précautions.

c) Dans les premiers temps qui suivirent l'aventure de Landry avec la petite Fadette, ce garçon eut quelque souci de la promesse qu'il lui avait faite.

d) Landry parlait bien doucement ; mais Sylvinet connaissait si bien sa parole, qu'il l'aurait devinée, quand même il ne l'aurait pas entendue.

e) Et durant l'hiver, où les nuits sont si froides qu'on pourrait difficilement causer d'amour en pleins champs, il y avait pour Landry et la petite Fadette un bon refuge dans la tour à Jacot qui est un ancien colombier de redevance.

Récapitulation

1 Dans l'extrait ci-dessous :

1) soulignez tous les GNs et faites une flèche de leur noyau vers la terminaison du verbe receveur d'accord (reportez-vous au besoin à « Réfléchissons au texte », p. 3, phrase n° 2) ;

« Cette partie d'un des plus brillants quartiers de Paris conservera longtemps la
souillure qu'y ont laissée les monticules produits par les immondices du vieux
Paris, et sur lesquels il y eut autrefois des moulins. Ces rues étroites, sombres et
boueuses, où s'exercent des industries peu soigneuses de leurs dehors, prennent
5 à la nuit une physionomie mystérieuse et pleine de contrastes. En venant des
endroits lumineux de la rue Saint-Honoré, de la rue Neuve-des-Petits-Champs
et de la rue de Richelieu, où se presse une foule incessante, où reluisent les
chefs-d'œuvre de l'Industrie, de la Mode et des Arts, tout homme à qui le Paris
du soir est inconnu serait saisi d'une terreur triste en tombant dans le lacis de
10 petites rues qui cercle cette lueur reflétée jusque sur le ciel. »

Honoré de Balzac, *Splendeurs et misères des courtisanes*, 1844.

2) trouvez le genre du mot « immondices » (ligne 2), puis donnez un synonyme à ce mot ;

____

3) repérez deux pronoms relatifs différents et donnez leur fonction ; puis, indiquez leurs antécédents ;

____

4) donnez le complément direct du verbe « ont laissée » (ligne 2) ;

____

5) trouvez deux adverbes dans la première phrase.

____

2 Dans l'extrait ci-dessous :

1) donnez la classe de chacun des mots en gras en le récrivant au bon endroit dans le tableau ;

« Maman alla chercher un paquet de livres dont je ne pus deviner, à travers le papier qui les enveloppait, que la taille courte et large, mais qui, **sous ce** premier aspect, **pourtant sommaire et** voilé, éclipsaient **déjà** la boîte **à** couleurs du Jour de l'An et les vers à soie de l'an dernier. **C'était** *la Mare au*
5 *Diable, François le Champi, la Petite Fadette* et *les Maîtres sonneurs*. **Ma** grand-mère, ai-je su **depuis**, avait d'abord choisi les poésies de Musset, un volume de Rousseau et *Indiana* ; **car** si elle jugeait les lectures **futiles** aussi **malsaines** que les bonbons **et les pâtisseries**, elle **ne** pensait **pas** que les grands souffles du génie eussent **sur l'esprit** même d'un enfant une influence **plus dan-**
10 **gereuse** et **moins vivifiante** que **sur son corps le grand air et** le vent du large. **Mais** mon père l'ayant **presque** traitée de folle en apprenant les livres **qu'**elle voulait me donner, elle était retournée **elle-même à** Jouy-le-Vicomte **chez** le libraire **pour que** je ne risquasse pas **de** ne pas avoir mon cadeau (c'était un jour **brûlant** et elle était rentrée **si souffrante que** le médecin
15 avait averti ma mère de ne pas la laisser **se** fatiguer **ainsi**) et elle s'était rabattue **sur les quatre romans champêtres de George Sand**. "Ma fille, disait-elle à maman, je ne pourrais me décider à donner à cet enfant quelque chose de mal écrit." »

Marcel Proust, *Du côté de chez Swann*, 1913.

Noms	Pronoms	Déterminants
Adjectifs	**Verbes**	**Adverbes**
Prépositions	**Conjonctions**	**Interjections**

2) **donnez ensuite la fonction des groupes de mots soulignés.**

Maman: ______________________

un paquet de livres: ______________________

qui: ______________________

les: ______________________

Ma grand-mère: ______________________

je: ______________________

les poésies de Musset: ______________________

un volume de Rousseau: ______________________

Indiana: ______________________

futiles: ______________________

les grands souffles du génie: ______________________

une influence: ______________________

l': ______________________

me: ______________________

à Jouy-le-Vicomte: ______________________

chez le libraire: ______________________

ma mère: ______________________

à maman: ______________________

me: ______________________

3 Dans l'extrait ci-dessous, relevez:

a) **un GNs inversé:** ______________________

b) **un pronom relatif sujet:** ______________________

c) **deux pronoms indéfinis sujets:** ______________________

d) **un CD:** ______________________

e) **un CI:** ______________________

«Mais bientôt s'éleva quelque part, dans une direction indéterminée qui pouvait être la cave aussi bien que le grenier, un ronflement puissant, monotone, régulier, un bruit sourd et prolongé, avec des tremblements de chaudière sous pression. M. Follenvie dormait.

Comme on avait décidé qu'on partirait à huit heures le lendemain, tout le monde se trouva dans la cuisine; mais la voiture, dont la bâche avait un toit de neige, se dressait solitaire au milieu de la cour, sans chevaux et sans conducteur.»

Guy de Maupassant, *Boule de suif*, 1880.

Autocorrection

À l'aide du tableau ci-dessous, corrigez les dix fautes d'orthographe contenues dans les phrases suivantes.

a) On ne comprenaient rien à ce caprice d'Allemand ; et les idées les plus singulières troublaient les têtes. (G. de Maupassant)

b) Elle eut pitié de cette pauvre créature, arrêté à la porte d'entrée, et qui évidamment n'osait pas lever la main jusqu'à la sonnette. (Stendhal)

c) Mon cloître est la maison où habite père et mère. [...] Il me semble que je deviens folle. Prostrée dans une chambre d'hôpital, seul au milieu des cris qui me terrorise, j'écoute le délire de ma mère : « Les murs étaient tachés de sang, me raconte-t-elle, ta sœur n'arrivait pas à naître. » (F. Prévost)

d) Ils allaient au sabbat tout les samedis sur un manche à balai, pratiquaient la magie blanche et noire, donnait aux vaches du lait bleu et leurs faisaient porter la queue comme celui du compagnon de saint Antoine. (M. Aymé)

Mot correctement orthographié	Classe du mot	Justification de la correction

✓ Évaluez VOS CONNAISSANCES

1 **Choisissez, parmi les réponses suggérées, celle qui donne, dans l'ordre, les classes des mots soulignés.**

> « Cette pièce est dans <u>tout</u> son lustre au moment où, <u>vers</u> sept heures du matin, le chat de Mme Vauquer précède sa maîtresse, saute sur les buffets, y flaire le lait <u>que</u> contiennent plusieurs jattes couvertes d'assiettes, <u>et</u> fait entendre son *rourou* matinal. »
>
> Honoré de Balzac, *Le père Goriot*, 1834.

a) déterminant, préposition, pronom, conjonction

b) adverbe, conjonction, conjonction, préposition

c) déterminant, préposition, conjonction, conjonction

d) adverbe, préposition, pronom, préposition

2 **Choisissez, parmi les réponses suggérées, celle qui donne, dans l'ordre, les classes des mots soulignés.**

> « <u>On</u> entendait un air de *jota* et Maryse avait alors pensé <u>que</u> les gens ne savent pas jusqu'à <u>quel</u> point ils sont beaux, les hommes surtout pour qui la séduction n'est <u>ni</u> une spécialité ni un devoir. »
>
> Francine Noël, *Maryse*, 1987.

a) déterminant, conjonction, adjectif, préposition

b) pronom, pronom, déterminant, conjonction

c) déterminant, pronom, déterminant, préposition

d) pronom, conjonction, déterminant, conjonction

3 **Identifiez la phrase qui contient un adjectif mal accordé.**

a) Mon père et Anne parlaient de leurs relations communes qui étaient rares mais haute en couleur. (F. Sagan)

b) Sa voix, toujours caressante et timbrée pour l'expression des mots tendres, avait acquis je ne sais quelle plénitude nouvelle qui lui donnait des accents plus mûrs. (E. Fromentin)

c) Elle se retourna fière comme une femme vertueuse, et, les yeux humides de larmes, elle se montra digne, froide, indifférente. (H. de Balzac)

d) Ils restèrent les doigts serrés et brûlants, dans une étreinte nerveuse. (É. Zola)

4 **Choisissez, parmi les réponses suggérées, celle qui donne, dans l'ordre, les fonctions des mots soulignés.**

« Une tante m'a légué un chat d'Angora qui est bien la bête la plus stupide que je connaisse. » (É. Zola)

a) complément indirect, sujet, complément direct

b) complément indirect, complément direct, complément direct

c) complément direct, complément direct, complément indirect

d) complément indirect, sujet, complément indirect

5 **Laquelle des phrases suivantes contient un receveur d'accord mal accordé ?**

a) Ils nous communiquent leur folie pour nous rendre témoins de leurs visions.

b) Elle venait des étoiles et des vestiges noirs, des scintillantes orbites et des silencieux golfes interstellaires.

c) Une pluie de pétales neigeux tombait à chaque souffle du vent dans les branches feuillues et le parfum des fleurs flottait dans l'air.

d) Gênés, les quatre hommes se dandinaient dans la cour, la bouche entrouverte ; le capitaine, les veines de son visage saillantes, avaient les larmes aux yeux.

e) Mais ils y pensaient, debout, immobiles, ils pensaient à l'honneur, à la gloire.

6 **Parmi les mots en gras, identifiez celui qui est un déterminant.**

a) L'instant d'après, elle retirait la viande et **la** servait, cuite, sur une assiette.

b) Lentement, très lentement, la nuit envahissait la pièce, noyant les piliers, **les** noyant tous deux, comme un vin noir déversé du plafond.

c) Regarde **les** colonnes brisées.

d) **Tout** me paraît en règle.

e) Elle **leur** reclaqua la porte au nez.

7 **Parmi les mots en gras, identifiez celui qui est un participe présent (aucun mot en gras n'est accordé).**

a) Sur le pas de leurs portes aux porches **ruisselant**, les habitants regardaient le ciel rougeoyer.

b) Une pluie fine **jaillissant** du sommet des minces colonnes rafraîchissait l'air.

c) Mais ce serait tellement **passionnant** s'il y avait des habitants.

d) Quand veux-tu partir ? demande-t-elle, **tremblant**.

e) Il y eut un raz de marée d'air **brûlant** ; comme si l'on venait d'ouvrir la porte d'un four.

8 **Laquelle des phrases suivantes contient un adverbe mal formé ?**

a) Et vous m'écouterez poliement ou je n'ouvrirai pas la bouche.

b) Il l'assit sur son genou, joignit doucement ses mains brunes et menues dans ses grandes pattes, comme s'il concoctait mûrement une histoire à raconter.

c) Il n'avait sûrement pas envie de partir pour Mars.

d) Une odeur vétuste de grenier de province, infiniment confortable, flottait dans la maison.

e) Arpentant le trottoir sous le soleil martien, grand, souriant, les yeux étonnamment clairs et bleus, un jeune homme d'environ vingt-cinq ans s'approchait.

9 **Laquelle des phrases suivantes contient trois mots invariables ?**

a) Ils réchauffèrent leurs mains au-dessus du feu.

b) Les briques montaient toujours plus haut.

c) Un éclair sillonna le ciel et un flot de lumière blafarde illumina le visage qui regardait le vieux La Farge debout sur le seuil.

d) C'était un carrefour où deux grandes routes débouchaient et se perdaient dans la nuit.

10 **Laquelle des phrases suivantes ne contient pas de verbe attributif ?**

a) L'enfant semblait inquiet.

b) La chose lui paraissait absolument naturelle.

c) Je resterai une année de plus dans cette maison.

d) Il se sentait plein d'aversion pour elle.

e) Les couvertures étaient tachées.

11 **Dans laquelle des phrases suivantes tous les verbes sont-ils bien orthographiés ?**

a) Elle s'arrêta de chanter, mit la main à sa gorge et fit signe aux musiciens qui reprit la mesure.

b) Je l'appellerait et lui dirait son fait.

c) Ce qui leur est arrivé, nous n'en sauront rien.

d) Il faudrait que tu la voies.

12 **Relevez la phrase qui contient un pronom complément indirect.**

a) La nôtre l'est déjà.

b) Aucun d'eux ne parlait, mais beaucoup espéraient, peut-être, que les autres expéditions avaient échoué et que celle-ci, la quatrième, serait la seule, la vraie.

c) Le cas est simple, je me bats contre cette énorme machine avide et pourrie qu'a engendrée la Terre.

d) Il revint à la rive, et cette clarté lui parut être alors comme elle devait se trouver.

e) Vous le pouvez si vous le voulez.

13 **Relevez la phrase qui contient un « que » pronom relatif.**

a) Exactement comme vous avez [...] déclaré à vos producteurs **que** s'ils voulaient travailler, ils n'avaient qu'à adapter et réadapter Ernest Hemingway.

b) Comment ai-je pu penser un instant **que** vous connaissiez le divin M. Poe ?

c) J'ai pensé qu'il valait mieux **que** je vienne me rendre compte moi-même.

d) C'est la nouvelle colonie **que** nous venons juste d'installer près de la Grand-Route d'Illinois.

e) Je vous parie **que** c'est lui.

14 **Indiquez lequel des pronoms relatifs soulignés est masculin singulier.**

« Ces chefs, à l'attitude morne et farouche, dont les coudes rapprochés par une ligature formaient un angle disgracieux, vacillaient gauchement à la trépidation des chars, que menaient des cochers égyptiens. [...] Les jeunes princes avaient pour coiffure une bandelette qui serrait leurs cheveux et où s'entortillait, en gonflant sa
5 gorge, la vipère royale ; [...] au ceinturon était passé un long poignard à lame d'airain triangulaire, dont la poignée cannelée transversalement se terminait en tête d'épervier. »

Théophile Gautier, *Le roman de la momie*, 1858.

a) dont (ligne 1)

b) que (ligne 3)

c) qui (ligne 4)

d) où (ligne 4)

e) dont (ligne 6)

15 **Laquelle des phrases suivantes contient un groupe complément souligné qui n'est pas complément de phrase ?**

a) Par une des fenêtres de devant, on apercevait sur un pupitre un morceau de musique intitulé *Mon bel Ohio*.

b) Pour les Américains, c'est toujours resté un domaine à part.

c) Au coucher du soleil, il s'accroupit près du sentier, fit cuire son dîner et écouta pétiller le feu en mâchant pensivement.

d) Sous la décharge électrique, il entrevit un instant les milliards de diamants de la pluie.

e) D'un instant à l'autre, les portes de la ville s'ouvriraient en grand.

MODULE 2

Réfléchissons sur le texte

« Les petits »

La phrase et la ponctuation

phrase syntaxique juxtaposée — /Ceux-là n'étaient pas méchants/ ; **phrase syntaxique juxtaposée** — /c'étaient les autres/.

/Les petits ne me firent jamais de mal/ (**phrase syntaxique coordonnée**) et [(**phrase matrice coordonnée**) /moi je les aimais bien/ (**phrase syntaxique**) /parce qu'ils ne sentaient pas encore le collège/ (**phrase syntaxique subordonnée circonstancielle coordonnée**) et /qu'on lisait toute leur âme dans leurs yeux/ (**phrase syntaxique subordonnée circonstancielle coordonnée**)].

Cette dernière phrase graphique compte quatre phrases syntaxiques.

Je ne les punissais jamais. À quoi bon ? Est-ce qu'on punit les oiseaux ?❶ ...❷ Quand ils pépiaient trop haut,❸ je n'avais qu'à crier :❹ «❺ Silence ! »❺. Aussitôt ma volière se taisait –❻ au moins pour cinq minutes.

❶ Le point d'interrogation marque la fin de la phrase interrogative.
❷ Les points de suspension marquent une interruption de la pensée.
❸ La virgule détache le CP déplacé en tête de phrase.
❹ Le deux-points annonce un mot rapporté.
❺ Les guillemets encadrent le mot rapporté.
❻ Le tiret sert à mettre en relief un commentaire.

subordonnée circonstancielle
insérée dans la [matrice]

[Quelquefois, /quand ils avaient été bien sages/, je leur racontais une histoire]. J'avais composé à leur intention cinq ou six petits contes fantastiques: ❼ *les Débuts d'une cigale*, ❽ *les Infortunes de Jean Lapin*, etc. Alors, comme aujourd'hui, le bonhomme La Fontaine était mon saint de prédilection dans le calendrier littéraire, et mes romans ne faisaient que commenter ses fables; ❾ seulement j'y mêlais de ma propre histoire. Cela amusait beaucoup mes petits, et moi aussi cela m'amusait beaucoup. Je les aimais tant, ❿ /si vous saviez/, ❿ ces gamins-là! ⓫ Malheureusement M. ⓬ Viot, ⓭ /qui assumait avec dignité les fonctions de directeur du collège/, ⓭ n'entendait pas qu'on s'amusât de la sorte. Je compris /qu'il ne fallait plus raconter d'histoires/ et je n'en racontai plus jamais.

subordonnée circonstancielle incidente

subordonnée relative explicative

subordonnée complétive

Adapté d'Alphonse Daudet, *Le Petit Chose*, 1868.

- ❼ Le deux-points annonce une énumération.
- ❽ La virgule sépare les éléments de l'énumération.
- ❾ Le point-virgule sépare deux phrases qui se rattachent à la même idée.
- ❿ Les virgules encadrent une phrase incidente.
- ⓫ Le point d'exclamation marque la fin de la phrase exclamative.
- ⓬ Le point termine une abréviation.
- ⓭ Les virgules encadrent une subordonnée relative explicative.

TABLEAUX synthèses

LA GRAMMAIRE DE LA PHRASE

La phrase graphique commence par une majuscule et se termine par un signe de ponctuation. À l'intérieur de cette phrase graphique, on peut trouver une ou plusieurs phrases syntaxiques.

2.1 LA PHRASE SYNTAXIQUE

1. La phrase syntaxique est un ensemble de groupes de mots qui présente une unité syntaxique.	**phrase syntaxique** */Une âcre odeur de charbon emplit la rue/.*
2. La phrase syntaxique est généralement formée de deux groupes constituants obligatoires : le groupe nominal sujet (GNs) et le groupe verbal (GV). À ces deux groupes peuvent s'ajouter un ou des groupes constituants facultatifs : le ou les groupes compléments de phrase (CP).	**GNs** *Une âcre odeur de charbon* **GV** *emplit la rue.* **(CP)** *Dans la journée,* **GNs** *une âcre odeur de charbon* **GV** *emplit la rue.* (Les parenthèses indiquent que le CP est facultatif.)
Dans une phrase graphique, il y a autant de phrases syntaxiques que de verbes conjugués et de verbes à l'infinitif ou au participe ayant leur sujet propre.	**phrase syntaxique** *|Le train passa/,* **phrase syntaxique** */une âcre odeur de charbon emplit alors la rue/.* **phrase syntaxique** */On sentit une âcre odeur de charbon/* **phrase syntaxique** */emplir la rue/.*
3. La phrase syntaxique peut être :	
• déclarative ; elle correspond alors au modèle de la phrase de base : GNs + GV + (CP) ;	• **GNs** *Le train* **GV** *passa* **(CP)** *tôt le matin.*
• interrogative ; elle porte alors au moins une des marques d'interrogation suivantes :	
– l'inversion du GNs et du GV,	– *As-**tu** soupé ?*
– la présence, après le verbe, d'un pronom qui reprend le GNs,	– *Quand ton père rentre-t-**il** ?*
– la présence de *Est-ce que* en tête de phrase,	– ***Est-ce qu'****il y avait encore des réponses que l'on pouvait obtenir du fond de ce gouffre où on était enfermé ?*
– la présence d'un marqueur d'interrogation, comme *quand, où, comment*, etc.,	– *D'**où** viens-tu si tard ?*
– la présence d'un point d'interrogation en fin de phrase ;	– *D'où viens-tu si tard* **?**

2.1 LA PHRASE SYNTAXIQUE (suite)

• impérative; elle ne contient pas de GNs et le noyau du groupe verbal est un verbe au mode impératif;	• ***Assieds-toi.*** ***Cours** plus vite.*
• exclamative; elle contient un marqueur d'exclamation comme *quel, comme, combien de*, etc. et elle se termine par un point d'exclamation.	• ***Quels** tourments avaient déjà pu la toucher!*
4. Une phrase syntaxique peut être jointe à une autre phrase syntaxique par:	
• la juxtaposition Les deux phrases syntaxiques sont jointes à l'aide d'un signe de ponctuation. On dit qu'elles sont juxtaposées.	**phrase syntaxique juxtaposée** — **phrase syntaxique juxtaposée** • *Rose-Anna la vit, fit un sourire distrait.*
• la coordination Les deux phrases syntaxiques sont jointes à l'aide d'un marqueur de relation ayant la fonction de coordonnant. Celui-ci peut être une conjonction (*mais, ou, et, or, ni, car*) ou un adverbe (*alors, de plus, donc, toutefois*, etc.). On dit des phrases jointes à l'aide d'un coordonnant qu'elles sont coordonnées.	**phrase syntaxique coordonnée** — **phrase syntaxique coordonnée** • *Elle s'arrêta subitement **et** regarda Florentine figée devant elle.*
• la subordination La phrase est insérée dans une autre phrase. La phrase insérée est appelée «phrase subordonnée». La phrase dans laquelle la subordonnée est insérée est appelée «phrase matrice».	**[phrase matrice]** — **phrase subordonnée** • [*Rose-Anna tirait le bord de son tablier d'un geste las et futile /qu'elle n'avait point eu autrefois/*].
La phrase matrice contient l'élément dont dépend la subordonnée.	**[phrase matrice]** — **subordonnée relative** [*Elles furent seules dans un petit **coin** encombré /qui ressemblait encore un peu à leur vie quotidienne/*]. (La subordonnée dépend du nom *coin*.) **[phrase matrice]** — **subordonnée complétive** [*Je **pensais** /qu'on aurait eu quelques jours de grâce/*]. (La subordonnée dépend du verbe *pensais*.)
La phrase subordonnée est jointe à la phrase matrice à l'aide d'un subordonnant, par exemple un pronom relatif (*qui, dont, que*, etc.) ou une conjonction de subordination (*que, quand, parce que*, etc.).	[*Elle sut cette fois /**qu'** elle ne pourrait plus continuer à lutter contre le soupçon/ /**qui** l'envahissait/*].

2.1 LA PHRASE SYNTAXIQUE (suite)

• l'insertion Une phrase est insérée dans une autre phrase et en est détachée par la ponctuation; ce peut être une phrase incise ou incidente.	
– Dans la phrase incise, le GNs et le GV sont toujours inversés. La phrase incise permet d'indiquer qui a exprimé les paroles rapportées.	– *Arrêtons-nous*, <u>*dit-il*</u>, *car cet asile est sûr.*
– La phrase incidente n'a pas de fonction et ne dépend pas de la phrase dans laquelle elle est insérée. Elle permet d'ajouter un commentaire à ce que l'on dit.	– *Le théâtre*, <u>*vous ne pouvez pas me contredire*</u>, *est une forme d'art qui a bien traversé les âges.*

2.2 LES PHRASES SUBORDONNÉES

La subordonnée relative	
1. La subordonnée relative dépend d'un nom ou d'un pronom de la phrase matrice; elle a donc la fonction de complément du nom ou de complément du pronom.	**N** **subordonnée relative** *Des* ***meubles*** */qu'elle ne reconnaissait pas/ s'entassaient contre la cloison.* **Pron** **subordonnée relative** *C'est* ***lui*** */qui a parlé en premier/.*
2. La subordonnée relative est effaçable lorsqu'elle est explicative.	**sub. relative explicative** *Sa mère, /qui était en voyage/, lui écrivait souvent.* *Sa mère ∅ lui écrivait souvent.*
3. La subordonnée relative n'est pas déplaçable.	*Sa mère, /qui était en voyage/, lui écrivait souvent.* * */Qui était en voyage/ sa mère lui écrivait souvent.*
4. Son subordonnant est un pronom relatif (*qui, que, quoi, dont, où, lequel* et ses dérivés). Excepté *que* et *dont*, les pronoms relatifs peuvent être précédés d'une préposition (*avec qui, sans quoi, par où*, etc.).	*Elles furent seules dans un petit coin /**qui** ressemblait encore un peu à leur vie quotidienne/.* *Le milieu /**dans lequel** il vit/ est misérable.*

2.2 LES PHRASES SUBORDONNÉES (suite)

La subordonnée complétive	
1. La subordonnée complétive dépend d'un verbe, d'un adjectif ou d'un nom de la phrase matrice.	V *Elle* ***sut*** */qu'elle ne pourrait plus continuer à lutter/.* Adj *Je suis* ***sûre*** */que tu remporteras cette victoire/.* N *Elle avait la* ***certitude*** */qu'il reviendrait/.*
2. En général, elle n'est pas effaçable.	*Elle sut /qu'elle ne pourrait plus continuer à lutter/.* ** Elle sut ∅.*
3. Elle n'est pas déplaçable.	*Elle sut /qu'elle ne pourrait plus continuer à lutter/.* ** /Qu'elle ne pourrait plus continuer à lutter/ elle sut.*
4. Son subordonnant est une conjonction (*que, si, quand,* etc.) qui n'a pas d'antécédent. Il peut être précédé d'une préposition, qui fait partie de la subordonnée.	*Je ne crois pas /****qu****'il soit sérieux/.* *Je me demande /****depuis quand*** *ils ont déménagé/.*
La subordonnée circonstancielle	
1. La subordonnée circonstancielle dépend de l'ensemble formé du groupe nominal sujet et du groupe verbal (GNs et GV). Elle a le plus souvent la fonction de complément de phrase.	GNs GV (CP) *Sa mère la regardait /lorsqu'elle se redressa, pâle, le visage humilié/.*
2. Elle est généralement effaçable.	*Sa mère la regardait ∅.*
3. Elle est généralement déplaçable.	*/Lorsqu'elle se redressa, pâle, le visage humilié/, sa mère la regardait.*
4. Son subordonnant est une conjonction (*quand, parce que, pour que, de sorte que, comme, bien que, à condition que,* etc.) qui peut exprimer différents rapports de sens : temps, cause, but, conséquence, comparaison, concession, condition, etc.	*Rose-Anna est déçue /****parce que*** *son mari n'a pas trouvé de logement/.* (cause) *Les deux femmes se regardaient /****comme*** *deux ennemies/.* (comparaison. Le verbe *se regardent* est sous-entendu pour éviter la répétition.)

2.3 LA PONCTUATION

Le point .	
1. Le point marque la fin d'une phrase de type déclaratif ou impératif.	*Leurs regards se rencontrèrent.* *Assieds-toi.*
2. Le point marque aussi l'abrègement des mots dont on a supprimé les dernières lettres.	*sub. circ.* (subordonnée circonstancielle)
Le point d'interrogation ?	
Le point d'interrogation marque la fin d'une phrase interrogative directe, mais non d'une subordonnée interrogative indirecte.	*As-tu soupé? lui demande-t-elle.* *Elle lui demande si elle a soupé.* (subordonnée interrogative indirecte)
Le point d'exclamation !	
Le point d'exclamation marque la fin d'une phrase exclamative ou se place après une interjection.	*Quels tourments avaient déjà pu le toucher!* *Hélas!*
Les points de suspension ...	
1. Les points de suspension marquent une interruption dans une phrase. Ils indiquent généralement un sous-entendu, une interruption ou une réticence.	*On dirait que tu es...* *Daniel!... Il était tout petit pour son âge.*
2. Entre crochets [...], ils indiquent une coupure dans une citation.	*La guerre peut, elle aussi, être la « chance **[...]** d'une ascension rapide ».*
Le deux-points :	
Le deux-points annonce:	
• une énumération;	• *Tout doit être repeint: l'école, l'église et le couvent.*
• une explication;	• *Voilà donc ce qu'elle était venue chercher auprès de sa mère: une noirceur si profonde qu'elle étouffait en soi.*
• une citation.	• *Florentine [...] avait songé tout de suite avec stupeur: « C'est vrai, voici le mois de mai, le temps de déménager. »*

2.3 LA PONCTUATION (suite)

Le point-virgule ;	
1. Le point-virgule s'emploie pour juxtaposer des phrases syntaxiques qui se rattachent à la même idée (parfois dans un rapport d'opposition).	*L'horloge apparut; son cadran illuminé fit une trouée dans les traînées de vapeur; puis, peu à peu, l'église entière se dégagea.* *Le flux les apporta; le reflux les remporte.* *En avril, n'ôte pas un fil; en mai, fais ce qu'il te plaît.*
2. Il s'emploie aussi pour juxtaposer les éléments d'une énumération comportant eux-mêmes des éléments joints par une virgule.	*La dissertation explicative comprend six paragraphes: une introduction, 100 à 150 mots; un développement de quatre paragraphes, 150 à 200 mots chacun; une conclusion, 100 à 150 mots.*

La virgule ,	
1. La virgule sert à juxtaposer des phrases syntaxiques ou des mots ou groupes de mots de même fonction grammaticale. En particulier, elle sert à séparer les termes d'une énumération.	*Florentine [...] se vit toute jeune, gaie, fiévreuse sous le regard de Jean.* *Elle se plaisait enfin à les connaître tous, les anciens, les nouveaux, les petits, les grands.*
2. Elle détache un complément de phrase déplacé. Ce complément est suivi d'une virgule s'il se trouve en tête de phrase et est encadré de virgules s'il se trouve ailleurs dans la phrase.	*Un instant, Florentine espéra s'être trompée de maison.* *La foule, matin et soir, piétinait et des rangs pressés d'automobiles y ronronnaient à l'étouffée.*
3. Elle détache (suit, précède ou encadre) un mot ou un groupe de mots (groupe adjectival, groupe nominal, groupe verbal ou participial) qui est mis en emphase ou qui complète un nom ou un pronom en apportant une information non essentielle à caractère explicatif.	*Tu le connais, ton père!*
4. Elle détache certains éléments qui n'ont pas de fonction dans la phrase: mot mis en apostrophe, phrase incise ou incidente, groupe de mots incident.	*Ton père, disait-elle, ton père qui devait trouver une maison!*
5. Elle détache une subordonnée relative explicative.	*Daniel, qui est à l'hôpital, se crut-elle obligée de rappeler.*
6. Elle se place devant les coordonnants autres que *et, ou, ni,* par exemple *car, mais, donc, or, cependant.*	*J'aime mon garçon à ma manière, car j'ai pensé même à cela.* *Tous ces bateaux [...] n'avaient jamais provoqué en elle le moindre frémissement, mais celui-là [...] retenait son regard malgré elle.*

2.3 LA PONCTUATION (suite)

Les guillemets « »	
1. Les guillemets encadrent les paroles rapportées dans le discours direct.	*« C'est inimaginable », songeait Florentine.*
2. Ils encadrent les expressions familières, celles qui appartiennent à une langue étrangère ou celles que l'on veut mettre en évidence.	*Il plaça un de ses gros doigts croches et tachés sous les mots « Ivan gives me trouble ».*
3. Les guillemets encadrent également les citations courtes.	*En effet, « les maisons basses » et « les quartiers de grande misère » de Saint-Henri font ressortir le caractère cossu de Westmount.*
Le tiret —	
1. Le tiret indique un changement d'interlocuteur dans le dialogue.	— *T'aurais pas dû les laisser faire [...], dit-elle avec humeur.* — *Que veux-tu ! reprit Rose-Anna.*
2. Le double tiret peut encadrer un mot ou un groupe de mots constituant une information accessoire (un commentaire, une précision, etc.). Le second tiret peut être omis en fin de phrase.	*Elle était habituée certes au déménagement annuel – et même parfois ils avaient quitté une maison au bout de six mois – mais non pas à cette invasion de leur logis par une troupe d'étrangers.*
Les parenthèses ( )	
Les parenthèses encadrent un mot ou un groupe de mots constituant une information accessoire (une explication, un commentaire, etc.).	*— Mais ma remarque, reprit M. Buckingham, n'avait pas trait à votre âge à l'époque de votre ensevelissement* **(***je ne demande pas mieux que d'accorder que vous êtes encore un jeune homme***)***.*
Les crochets [ ]	
1. Les crochets encadrent les parties ajoutées ou modifiées dans une citation.	*Le surveillant affirma que « les petits ne [lui] firent jamais de mal et [que lui] les aimai[t] bien ».*
2. Lorsqu'ils encadrent les points de suspension, ils indiquent une coupure dans la citation.	*La guerre peut, elle aussi, être la « chance [...] d'une ascension rapide ».*

EXERCICES de grammaire

1 Dans les extraits suivants, séparez par des traits les diverses phrases syntaxiques.

a) Dans un grand silence, il monta à la chaire, s'y établit, et je crus qu'il allait commencer à nous faire la classe : je me trompais. (M. Proust)

b) Je descendis de ma monture, lui fis une caresse en guise de remerciement, titubai vers mon seuil, rompue de toutes parts, et vis aussitôt partir Médéric qui ramenait Flora avec ménagement. (G. Roy)

c) Un matin chaud de mars, vers dix heures, le flot humain coulait déjà, battait la terrasse du café de la Paix où étaient assis Bernard et Thérèse. Elle jeta sa cigarette et, comme font les Landais, l'écrasa avec soin. (F. Mauriac)

d) Charles-Eugène tirait vaillamment entre les brancards ; la charrette s'engouffrait dans la grange, s'arrêtait au bord de la tapisserie, et les fourches s'enfonçaient une fois de plus dans le foin durement foulé, qu'elles enlevaient en galettes épaisses. (L. Hémon)

e) L'athlète forain avait reconquis son impassibilité. Le cou enfoncé, les yeux sans vie, le torse en barillet moulé de la ceinture aux pieds dans un tricot noir, il semblait un buste de plâtre monté sur socle. (G. Guèvremont)

2 Dans chacune des phrases graphiques suivantes :
1) soulignez les verbes conjugués ;
2) indiquez le nombre de phrases syntaxiques.

a) L'orage qui tire à sa fin illumine le ciel.

b) Le petit éléphant se traînait péniblement à l'arrière du troupeau, gémissait, se plaignait amèrement.

c) Il prit le panier d'argenterie, traversa la chambre sans s'occuper du bruit, franchit le jardin, sauta par-dessus le mur et s'enfuit.

d) On marchait dans le sous-bois et les grillons chantaient.

e) Gardez-vous de vendre l'héritage que nous ont laissé nos parents : un trésor est caché dedans.

3 **Dans les extraits ci-dessous:**

1) soulignez les verbes conjugués et indiquez le nombre de phrases syntaxiques;

2) séparez les subordonnées par des traits et indiquez au-dessus de chacune s'il s'agit d'une subordonnée relative ou d'une subordonnée circonstancielle.

a) Delphine et Marinette, suivies de toutes les bêtes de la ferme, traversèrent la route et gagnèrent la forêt. (M. Aymé)

b) Quand j'arrivai dans ces lieux, je n'y trouvai que des familles vagabondes, dont les mœurs étaient féroces et la vie fort misérable. (F. R. de Chateaubriand)

c) Dès qu'il l'apercevait, il commençait à rire de toutes ses forces. Les éclats de sa voix bondissaient dans la cour, l'écho les répétait, les voisins se mettaient à leurs fenêtres, riaient aussi. (G. Flaubert)

d) Le Survenant, dont la poitrine et les longues jambes d'une blancheur presque féminine éclataient à travers la toison rousse au-dessus du brayet de velours pourpre, était l'image même de la vie. (G. Guèvremont)

4 **Dans les phrases suivantes:**

1) séparez par des traits les subordonnées relatives;

2) reliez par une flèche chaque pronom relatif à son antécédent ou au mot auquel il fait référence.

a) Je connais la maison dont il parle.

b) Ceux qui dormaient se réveillèrent.

c) Au loin, les pins serrés dont la colline est couverte s'agitaient et bruissaient dans l'ombre.

d) La grande rue droite qui traversait le village était déserte.

e) Je parcourus les appartements sonores où l'on n'entendait que le bruit de mes pas.

f) Les comptes que nous avons reçus seront bientôt payés.

g) Garde les cartes que tu as écrites et donne-moi celles qui restent.

h) Le jeu de cette actrice à qui la critique avait fait bon accueil s'est révélé décevant.

i) J'écarte les braises et je rassemble les gros tisons par-dessus lesquels je remets du bois sec.

j) Une fois pourtant, je crus que nous étions perdus. L'allée que nous devions traverser était gardée de chaque côté par un chasseur embusqué.

5 Dans les passages suivants :

1) séparez les subordonnées par des traits et indiquez au-dessus de chacune s'il s'agit d'une subordonnée relative, d'une subordonnée complétive ou d'une subordonnée circonstancielle ;

a) Aussitôt après cette découverte, ❶ un nouveau témoin parut. Madame Deluc raconta qu'elle tenait une auberge au bord de la route, non loin de la berge de la rivière opposée à la barrière du Roule. Les environs sont solitaires, – ❷ très solitaires. C'est là, le dimanche, le rendez-vous ordinaire des mauvais sujets de la ville qui traversent la ville en canot. (E. A. Poe)

b) Ils firent ce repas frugal remplis de joie par le souvenir de la bonne action qu'ils avaient faite le matin ; ❸ mais cette joie était troublée par l'inquiétude où ils se doutaient bien que leur longue absence de la maison jetterait leurs mères. Virginie revenait souvent sur cet objet ; cependant Paul, ❹ qui sentait ses forces rétablies, ❹ l'assura qu'ils ne tarderaient pas à tranquilliser leurs parents. (J.-H. Bernardin de Saint-Pierre)

2) justifiez l'emploi des signes de ponctuation numérotés.

❶ ______________________________

❷ ______________________________

❸ ______________________________

❹ ______________________________

6 **Dans les phrases suivantes, liez la première phrase à la deuxième au moyen d'un pronom relatif qui permettra d'éviter la répétition du ou des mots en gras.**

a) M. Marambot ouvrit la **lettre**. Denis, son serviteur, lui remettait cette **lettre**.

b) Le père Malois recule devant le **procès**. Je le menace de ce **procès**.

c) M. Marambot souriait sans répondre et sortait dans son **petit jardin**. Il se promenait, dans son **petit jardin**, les mains derrière le dos, en rêvassant.

d) Son maître tendit les mains en avant pour recevoir le **choc**. Le **choc** le renversa sur le dos.

e) Des frissons d'angoisse secouaient M. Marambot à la pensée affreuse de ce **liquide rougi** sorti de ses veines. Son lit était couvert de ce **liquide rougi**.

f) Quand le blessé s'éveillait, la nuit, il voyait souvent son **gardien**. Son **gardien** pleurait dans son fauteuil et s'essuyait les yeux en silence.

g) Il avait parlé en termes enthousiastes du dévouement continu de cet honnête serviteur et de ses **soins incomparables**. Il avait entouré de ses **soins incomparables** son maître blessé par lui dans une seconde d'égarement.

____

____

____

____

h) **Denis**, depuis vingt ans dans la maison, était un petit homme trapu et jovial. On citait **Denis** dans toute la contrée comme le modèle des domestiques.

____

____

____

Adapté de Guy de Maupassant, *Contes fantastiques*, 1887.

7 Complétez les phrases suivantes par le pronom relatif qui convient : *dont*, *que* (ou *qu'*), *où*.

a) Mais l'ennui de déménager, et la pensée de toutes les démarches _______ il lui faudrait accomplir, l'avaient sans cesse retenu.

b) Le lendemain, vers neuf heures du matin, le facteur remit à Denis quatre lettres pour son maître, _______ une très lourde.

c) Il cherchait à saisir les mains de son domestique _______ il pensait maintenant atteint de folie, afin de parer les coups précipités.

d) Le président, alors se tournant vers Marambot, _______ la déposition avait été excellente pour son domestique, lui demanda : « Votre domestique n'est-il pas dangereux ? »

e) L'autre continuait à parler culture, bestiaux, engrais, bouchant avec des phrases banales tous les interstices _______ pouvait se glisser une allusion.

Adapté de Guy de Maupassant, *Contes fantastiques*, 1887.

8 **Mettez la ponctuation qui convient dans les espaces prévus.**

« En sortant du Magasin Général où il a acheté six sacs de grain __ trois caisses de pommes de terre et des provisions pour lui __ il s'est arrêté au bureau de poste. On lui a remis son courrier de deux mois __ trois enveloppes. Rapidement __ il y a jeté un coup d'œil. Sur l'une d'elles __ longue et bleu clair __ il a reconnu l'écriture inclinée et régulière de sa fille. S'il avait cédé à son premier élan __ il l'aurait ouverte tout de suite. [...] Est-ce que ça presse tant que ça __ »

Adapté de Bernard Clavel, *L'angélus du soir*, © Éditions Albin Michel, 1988, p. 8.

9 **Dans chacune des phrases suivantes, placez correctement les virgules manquantes et justifiez votre réponse.**

a) « Tu sais me dit-il moi je ne voulais pas parler. » (M. Pagnol)

___

___

b) Incrédule la cliente chercha vainement à démêler dans le regard de Didace la vérité d'avec la vantardise. (G. Guèvremont)

___

___

c) Paul se laissa emmener sans rien dire et après une nuit fort agitée il se leva au point du jour et s'en retourna à son habitation. (J.-H. Bernardin de Saint-Pierre)

___

___

___

d) Si cette enfant m'était confiée je ferais d'elle non pas une savante car je lui veux du bien mais une enfant brillante d'intelligence et de vie. (A. Gide)

___

___

___

10 **Expliquez le choix de chaque signe de ponctuation numéroté dans les phrases suivantes.**

a) Un bruit soudain fit tressaillir Jeanne. Elle leva les yeux; ❶ un énorme oiseau s'envolait d'un trou: ❷ c'était un aigle. (G. de Maupassant)

❶ ______________________________

❷ ______________________________

b) Leur mère prétend qu'ils sont jolis et, ❶ ma foi, ❶ je ne suis pas fâché que vous soyez de son avis. Pour être franc, ❷ je n'en dirai pas autant de ce cochon qui me regarde d'un air si stupide. Quel drôle d'animal! ❸ Est-il possible d'être aussi laid? ❹ Je n'en reviens pas. (M. Aymé)

❶ ______________________________

❷ ______________________________

❸ ______________________________

❹ ______________________________

c) Enfin, ❶ quand nous rentrâmes à la maison – ❷ il était plus de neuf heures du soir – ❷ toutes les pièces de mon équipement furent installées dans ma chambre: ❸ les vêtements sur une chaise, ❹ les chaussettes neuves dans les souliers neufs et, ❺ sur la commode, ❺ un cartable giberne en simili-cuir, ❻ que gonflaient mes cahiers, ❻ mon plumier et ma blouse soigneusement pliée. (M. Pagnol)

❶ ______________________________

❷ ______________________________

❸ ______________________________

❹ ______________________________

❺ ______________________________

❻ ______________________________

EXERCICES de renforcement

1 **Dans chacune des phrases suivantes :**

1) soulignez les verbes conjugués ;

2) encerclez les pronoms relatifs et encadrez les conjonctions de subordination ;

3) séparez par des traits les diverses phrases subordonnées et écrivez au-dessus de chacune s'il s'agit d'une subordonnée relative ou d'une subordonnée circonstancielle.

a) Le soleil poursuivait nos concitoyens dans tous les coins de la rue et, s'ils s'arrêtaient, il les frappait alors. (A. Camus)

b) Marinette leur donna satisfaction et chacun se mit au travail. Tandis que les bêtes comptaient les arbres de la forêt, les petites allaient de secteur en secteur et recueillaient les chiffres qu'elles inscrivaient sur leurs cahiers de brouillons. (M. Aymé)

c) Toute la famille tremblante priait Dieu dans la case de madame de la Tour, dont le toit craquait horriblement par l'effort des vents. Quoique la porte et les contrevents en fussent bien fermés, tous les objets s'y distinguaient à travers les jointures de la charpente, tant les éclairs étaient vifs et fréquents.

(J.-H. Bernardin de Saint-Pierre)

2 **Remettez les phrases syntaxiques dans l'ordre. Il se peut que vous ayez à ajouter des signes de ponctuation, mais les coordonnants sont déjà présents. La majuscule de la phrase de départ n'est pas donnée.**

a) don Garcia donna son adresse à son nouvel ami
lorsque la leçon fut finie
et lui fit promettre de venir le voir

____

____

____

b) où le soleil se levait
il s'endormit au moment
comme il était fatigué
auquel il avait assisté
et qu'il avait encore la tête lourde par suite d'un dîner d'étudiants

____

____

____

____

c) qu'il avait toujours entendu dire
et que, trouvant celle-là vide
don Juan répondit
que les places appartenaient au premier occupant
surtout si le seigneur don Garcia n'avait pas chargé son voisin de la lui garder
il croyait pouvoir la prendre

____

____

____

____

____

d) comme s'il voulait examiner les mêmes objets
don Juan, tenant ses livres sous son bras, s'était arrêté dans une galerie du collège
pour examiner les vieilles inscriptions
s'approchait de lui
lorsqu'il s'aperçut
qui couvraient les murs
que l'étudiant qui lui avait d'abord parlé

____

____

____

____

____

____

____

Adapté de Prosper Mérimée, *Les âmes du purgatoire*, 1834.

3 **Récrivez les phrases suivantes :**

1) en mettant le GNs avant le GV ;

2) en remplaçant le GNs par un pronom.

a) Ainsi se débattait sous l'angoisse cette malheureuse âme. (V. Hugo)

b) Dans un angle est placée la boîte à cases numérotées qui sert à garder les serviettes, ou tachées ou vineuses, de chaque pensionnaire. (H. de Balzac)

c) Enfin, là règne la misère sans poésie ; une misère économe, concentrée, râpée. (H. de Balzac)

Erreurs volontaires

4 **Enlevez la virgule employée de façon erronée dans chacune des phrases qui suivent et justifiez votre correction.**

a) Parfois, je me trompais, et, lorsqu'il rentrait la nuit, je faisais semblant de dormir, alors qu'il aurait désiré, que je fusse éveillée. (F. Mauriac)

b) Il cherche, il brouille, il crie, il s'échauffe, il appelle, ses valets l'un après l'autre : on lui perd tout, on lui égare tout. (J. de La Bruyère)

c) Tout se trouve dans les rêveries enchantées où, nous plonge le bruit de la cloche natale : religion, famille, patrie, et le berceau et la tombe, et le passé et l'avenir.
(F. R. de Chateaubriand)

d) Tout à coup, après un brusque détour du val, le château de la Vrillette, se montra, adossé d'un côté à la pente boisée et, de l'autre, trempant toute sa muraille dans un grand étang que terminait, en face, un bois de hauts sapins escaladant l'autre versant de la vallée.
(G. de Maupassant)

5 Expliquez le choix de chaque signe de ponctuation numéroté dans l'extrait suivant.

« Comme il ne possédait rien, ❶ il n'ôtait jamais sa clef, ❷ si ce n'est quelquefois, ❸ fort rarement, ❸ lorsqu'il travaillait à quelque travail pressé. Du reste, même absent, il laissait sa clef à sa serrure.

« ❹ On vous volera, ❺ disait madame Bougon.

— ❻ Quoi ? disait Marius. » ❹
Le fait est pourtant qu'un jour on lui avait volé une vieille paire de bottes, ❼ au grand triomphe de madame Bougon. »

Victor Hugo, *Les misérables*, 1862.

❶

❷

❸

❹

❺

❻

❼

Récapitulation

1 Dans ce texte, la ponctuation et les majuscules ont été oubliées. Rétablissez-les.

« quand il se trouva seul sur l'estrade il fut brusquement si intimidé qu'il eut un mouvement instinctif de recul il se tourna même vers la coulisse pour y rentrer il aperçut son père qui lui faisait des gestes et des yeux furibonds il fallait continuer d'ailleurs on l'avait aperçu dans la salle à mesure 5 qu'il avançait montait un brouhaha de curiosité bientôt suivi de rires qui gagnèrent de proche en proche la salle s'esclaffait à l'apparition du bambin aux longs cheveux au teint de petit tzigane trottinant avec timidité dans le costume de soirée d'un gentleman correct Christophe terrifié par le bruit les regards les lorgnettes braquées n'eut plus qu'une idée arriver au plus vite au 10 piano [...] tête baissée sans regarder ni à droite ni à gauche il défila au pas accéléré le long de la rampe et arrivé au milieu de la scène au lieu de saluer le public comme c'était convenu il lui tourna le dos et fonça droit sur le piano la chaise était trop élevée pour qu'il pût s'y asseoir sans le recours de son père au lieu d'attendre dans son trouble il la gravit sur les genoux 15 cela ajouta à la gaieté dans la salle mais maintenant Christophe était sauvé en face de son instrument il ne craignait personne »

Adapté de Romain Rolland, *Jean-Christophe*, 1904-1912.

2 Dans le texte de Romain Rolland ci-dessus:

1) soulignez d'un trait les GNs des six premières lignes;

2) encerclez les trois premiers compléments, directs ou indirects;

3) encadrez deux subordonnées relatives;

4) mettez entre crochets trois subordonnées circonstancielles.

3 **En vous inspirant du texte de Romain Rolland, complétez les phrases suivantes par une subordonnée circonstancielle exprimant le rapport de sens indiqué entre parenthèses.**

a) Christophe se mit à exécuter son morceau avec joie (temps) ______________________

____

b) Christophe ne pouvait pas jouer son morceau de piano (cause) ______________________

____

c) Il fallait le silence complet de la salle (but) ______________________

____

d) (condition) ______________________

Christophe deviendra pianiste à l'orchestre symphonique de Montréal.

e) Christophe est terrifié par le bruit et les regards des spectateurs (opposition) ____________

____

4 **Récrivez les phrases 3 *a)* et 3 *b)* ci-dessus en déplaçant la subordonnée circonstancielle au début de la phrase et en ajustant la ponctuation.**

____

____

____

____

5 **Dans *Jean-Christophe*, Romain Rolland décrit les débuts d'un jeune pianiste. Composez deux phrases qui évoquent les débuts d'un cycliste, d'un automobiliste, d'un skieur ou d'un nageur. Dans la première, vous emploierez une conjonction de subordination et, dans la deuxième, un pronom relatif.**

1. ____

____

____

2. ____

____

____

Autocorrection

Corrigez toutes les erreurs de syntaxe et de ponctuation et justifiez vos corrections.

a) Tandis qu'au-dessous chiens, chats, chèvres, moutons, poules, canards et dindons se roulaient dans la poussière. (G. de Maupassant)

b) J'ai écrit l'histoire de ma vie en latin, en grec, en allemand, en italien, en espagnol, et en français criait l'inconnu. (G. de Maupassant)

c) Un soir, comme il allait achever la 42e lecture de ce document une illumination subite s'abattit sur lui aussi rapide que la foudre. (G. de Maupassant)

d) Comme il arrivait au coin de la place de l'Opéra il croisa un gros jeune homme, qu'il se rappela vaguement avoir vu la tête quelque part. (G. de Maupassant)

e) Quasimodo était devenu depuis plusieurs années, sonneurs de cloches de Notre-Dame, grâce à son père adoptif Claude Frollo, laquelle, était devenu archidiacre de Josas. Avec le temps, il s'était formé je ne sais quel lien intime qui, unissait le sonneur à l'église. (V. Hugo)

Corrections	Justification de la correction

Évaluez VOS CONNAISSANCES

1 Parmi les énoncés ci-dessous :

1) lequel ne contient pas trois phrases syntaxiques ? ________

2) lequel contient deux phrases juxtaposées ? ________

3) lequel contient deux subordonnées relatives ? ________

4) lequel contient une subordonnée circonstancielle de conséquence ? ________

a) Malgré lui, il regardait tout, pensait à tout à la fois, si bien qu'il avait la tête pleine d'un bouillonnement d'idées informes.

b) Elle sortit par une porte qui s'ouvrait vers l'avant et qui devait conduire au cabinet de toilette.

c) Une péniche passait à ras des hublots et le charretier, à cinquante mètres de là, arrêtait ses chevaux dont on entendait le tintement des grelots.

d) Le matelot qu'il avait appelé Vladimir acheva d'abord la bouteille de champagne, puis s'en fut comme il était venu, en compagnie de Willy.

Adapté de phrases diverses extraites de Georges Simenon, *Le charretier de « La Providence »*, 1970.

Erreurs volontaires

2 Parmi ces phrases, laquelle contient le pronom relatif qui convient ?

a) Le jour que Marguerite et moi nous vînmes à Paris pour chercher des appartements, j'allai chez [le] notaire. (A. Dumas fils)

b) Chacun convint du rôle qu'il jouerait, des arguments qu'il s'appuierait, des manœuvres qu'il devrait exécuter. (G. de Maupassant)

c) Ma mère avait conçu dès son enfance une terreur des participes dont elle ne s'était jamais remise. (A. France)

d) Une nuit, comme le docteur ne pouvait dormir, il se releva entre une et deux heures du matin pour aller relire un passage pour lequel il croyait n'avoir pas encore très bien compris. (G. de Maupassant)

3 **Choisissez les pronoms relatifs qui conviennent pour la phrase suivante.**

« Donc, au premier coup d'œil, il est naturel de croire très distinctes les deux espèces de jeunes gens __________ mènent une vie élégante; aimable corporation __________ appartenait Henri de Marsay. »

Honoré de Balzac, *La fille aux yeux d'or*, 1835.

a) lesquels, dont

b) lesquelles, qu'

c) où, à laquelle

d) qui, à laquelle

e) qui, auquel

4 **Dans quelle phrase manque-t-il une virgule ?**

a) Je crois que l'on peut parler peinture devant toi.

b) Porbus alla chercher palette et pinceaux.

c) Mabuse n'a eu qu'un élève qui est moi.

d) Personne ne nous sait gré de ce qui est dessous.

e) Poussin regardait alternativement le vieillard et Porbus.

Adapté d'Honoré de Balzac, *Le chef-d'œuvre inconnu*, 1831.

5 **À laquelle de ces phrases doit-on ajouter le plus grand nombre de virgules pour qu'elle soit correctement ponctuée ?**

a) Je commençais à m'ennuyer ferme à maudire ma faiblesse la pluie le cinéma le public l'immense sottise de tout et de tous. (G. Duhamel)

b) Oui mon chéri tu as raison je comprends très bien que tu sois furieux. (É. Bourdet)

c) Si vous êtes gaillarde si vos forces et votre gaieté sont revenues c'est que le mal est moins sérieux qu'on ne pouvait croire. (J. Romains)

d) Le bureau vous a coûté dix mille francs pour le bail vingt mille pour l'ameublement en tout trente mille. (M. Pagnol)

6 **Laquelle des phrases suivantes est mal ponctuée?**

a) Elle l'admirait, heureuse, charmée! (H. de Balzac)

b) Ainsi va la vie italienne le matin l'amour, le soir la musique, la nuit le sommeil. (H. de Balzac)

c) Voici comment cette salle recevait le jour: deux fenêtres perçaient la façade, sur la terre, et deux autres fenêtres, à l'opposé, la paroi du fond. (J. Verne)

d) En effet, s'il en était ainsi, quand les esprits du burg se tenaient tranquilles au point de ne s'être jamais laissé apercevoir, que serait-ce maintenant s'ils manifestaient leur présence par des actes matériels? (J. Verne)

7 **Justifiez l'emploi de chaque virgule numérotée en écrivant le numéro de l'explication qui lui correspond.**

«Et j'avançai, ❶perclus, ❶agonisant d'émotion, mais j'avançai, ❷car je suis brave, j'avançai comme un chevalier des époques ténébreuses pénétrait en un séjour de sortilèges. Je retrouvais, ❸de pas en pas, ❸tout ce qui m'avait appartenu, mes lustres, ❹ mes livres, ❹mes beaux tableaux, mes étoffes, mes armes, tout, sauf le bureau plein de mes lettres, et que je n'aperçus point.» (G. de Maupassant)

Guy de Maupassant, «Qui sait?», dans *Le docteur Héraclius Gloss et autres histoires de fous*, 1890.

❶ ______

❷ ______

❸ ______

❹ ______

Explications:

1. La virgule sert à juxtaposer des phrases syntaxiques, ou des mots ou groupes de mots de même fonction grammaticale.
2. La virgule détache un complément de phrase déplacé. Ce complément est suivi d'une virgule s'il se trouve en tête de phrase et est encadré de virgules s'il se trouve ailleurs dans la phrase.
3. La virgule détache (suit, précède ou encadre) un mot ou un groupe de mots (groupe de l'adjectif, groupe du nom, groupe du verbe ou du participe) qui sont mis en emphase ou qui complètent un nom ou un pronom en apportant une information non essentielle à caractère explicatif.
4. La virgule détache certains éléments qui n'ont pas de fonction dans la phrase: mot mis en apostrophe, phrase incise ou incidente, groupe de mots incident.
5. La virgule détache une subordonnée relative explicative.
6. La virgule se place devant les coordonnants autres que *et, ou, ni,* par exemple *car, mais, donc, or, cependant.*

8 **Si on place les phrases syntaxiques suivantes dans le bon ordre, elles forment une seule phrase graphique. Numérotez-les selon leur ordre dans la phrase graphique.**

et dont la dimension n'excédait pas celle d'une peau de renard ____

le jeune homme se leva brusquement ____

où il était assis ____

et témoigna quelque surprise en apercevant au-dessus du siège ____

un morceau de chagrin accroché sur le mur, ____

Adapté d'Honoré de Balzac, *La peau de chagrin*, 1831.

MODULE 3

Réfléchissons sur le texte

« L'enlèvement de la Esmeralda »

Noms, adjectifs et participes

Nom FS — Adj FS — Adj FS

C'est là qu'après sa **course** effrénée et triomphale sur les tours et les galeries, Quasimodo

PP avec *avoir*, invariable — CD après le PP — FS

avait déposé la Esmeralda. Tant que cette course avait duré, la jeune **fille** n'avait pu

PP employés sans auxiliaire donc considérés comme des Adj reçoivent le genre et le nombre de leur donneur d'accord, *fille*

Adv invariable — Part. présent invariable

reprendre ses sens, à demi assoupie, à demi éveillée, ne sentant plus rien sinon qu'elle montait dans l'air, qu'elle y flottait, qu'elle y volait, que quelque chose l'enlevait au-dessus

Nom MS — Adj MS — Nom FS — Adj FS

de la terre. De temps en temps, elle entendait le **rire** éclatant, la **voix** bruyante de Quasimodo à son oreille ; elle entrouvrait ses yeux ; alors au-dessous d'elle, elle voyait

Dét. numéral invariable

confusément Paris marqueté de ses mille toits d'ardoises et de tuiles comme une

Nom FS — Adj de couleur de forme simple FS

mosaïque rouge et bleue, au-dessus de sa tête la face effrayante et joyeuse de Quasimodo.

PP employé avec *être* reçoit le genre et le nombre de son donneur d'accord, *tout* (pronom) MS MS — PP employé avec *avoir* reçoit le genre et le nombre du noyau du CD placé avant le V (*l'*, mis pour *elle*) FS FS

Alors sa paupière retombait ; elle croyait que **tout** était fini, qu'on **l'**avait exécutée pendant

PP employé avec *avoir* reçoit le genre et le nombre du noyau du CD placé avant le V (*l'*, mis pour *elle*) FS FS

son évanouissement, et que le difforme esprit qui avait présidé à sa destinée **l'**avait reprise et l'emportait. Elle n'osait le regarder et se laissait aller.

Victor Hugo, *Notre-Dame de Paris*, 1832.

TABLEAUX synthèses

LE NOM, L'ADJECTIF, LE DÉTERMINANT, LES MOTS APPARTENANT À PLUS D'UNE CLASSE GRAMMATICALE ET LE PARTICIPE

LE NOM ET L'ADJECTIF

3.1 LE FÉMININ DES NOMS ET DES ADJECTIFS	
1. En règle générale, on forme le féminin du nom et de l'adjectif en ajoutant un *e* au masculin. Cas particulier : Les adjectifs terminés par *–gu* font leur féminin en *–guë*.	*un parent éloigné, une parente éloignée* *ambigu, ambiguë*
2. Les noms et les adjectifs en *–eur* font leur féminin en *–euse*. Certains noms font leur féminin en *–eresse* ou en *–eure*.	*un vendeur menteur, une vendeuse menteuse* *un chasseur, une chasseresse* *un ingénieur, une ingénieure*
3. Les noms et les adjectifs en *–teur* font leur féminin en *–trice*. Certains noms font leur féminin en *–teure* ou en *–teuse*.	*un animateur, une animatrice* *un consolateur, une consolatrice* *un auteur, une auteure* *un chanteur, une chanteuse*
4. • Les noms et les adjectifs en *–er* font leur féminin en *–ère*. • Les noms et les adjectifs en *–eau* font leur féminin en *–elle*. • La plupart des noms et des adjectifs masculins en *–e* gardent la même forme au féminin. Certains font leur féminin en *–esse*. • Dans certains noms, la consonne finale du masculin change au féminin. • Le féminin des noms animés est parfois différent du masculin.	• *un boulanger, une boulangère* *un plan financier, une institution financière* • *un chameau, une chamelle* *un nouveau tissu, une nouvelle étoffe* • *un élève difficile, une élève difficile* *un maître, une maîtresse* • *un loup, une louve* *un veuf, une veuve* *un époux, une épouse* • *un serviteur, une servante* *un garçon, une fille* *un dindon, une dinde*
5. • Les adjectifs terminés par *–f* font leur féminin en *–ve*. • Les adjectifs terminés par *–x* font leur féminin en *–se*. • Les adjectifs en *–et* doublent le *t*, sauf *complet, désuet, discret, quiet, inquiet, replet* et *secret*.	• *bref, brève* • *heureux, heureuse* • *muet, muette* *complet, complète*

3.1 LE FÉMININ DES NOMS ET DES ADJECTIFS (suite)

6. Certains noms et adjectifs doublent la consonne finale au féminin.	*un lion cruel, une lionne cruelle* *bas, basse*
7. Quelques féminins sont irréguliers: *favori, favorite; coi, coite; malin, maligne; vieux, vieille; hébreu, hébraïque; grec, grecque; turc, turque; andalou, andalouse; absous, absoute; dissous, dissoute; tiers, tierce; frais, fraîche.*	*un costume grec, une tunique grecque* *le peuple hébreu, la langue hébraïque* *un vent frais, une boisson fraîche*
8. • Le nom *gens* est masculin, sauf quand il est immédiatement précédé d'un adjectif ou d'un déterminant dont le féminin diffère du masculin.	• *quels braves gens! tous les gens sensés* *quelles gens? les vieilles et les bonnes gens* *Il y a* ***certaines*** *gens qui sont bien* ***sots****.*
• Le nom *orgue* est:	
– masculin au singulier; – féminin au pluriel.	– *un orgue harmonieux* – *de belles orgues harmonieuses*
• Après l'expression *avoir l'air*:	
– s'il s'agit d'une personne, l'accord de l'adjectif se fait avec *air* ou avec le sujet;	– *Ces enfants ont l'air malade* (ou *malades*).
– s'il s'agit d'une chose, l'accord de l'adjectif se fait avec le sujet.	– *Cette publicité a l'air pertinente.*

3.2 LE PLURIEL DES NOMS ET DES ADJECTIFS

1. En général, on forme le pluriel des noms et des adjectifs en ajoutant un *s* au singulier.	*la boîte noire, les boîtes noires*
Les noms se terminant par *s*, *x* et *z* gardent la même orthographe au pluriel.	*un repas, des repas* *une noix, des noix* *le gaz, les gaz*
2. • Les noms en *–au*, *–eau*, *–eu* prennent un *x* au pluriel, sauf *landau*, *sarrau*, *bleu* et *pneu*, qui prennent un *s*.	• *un tuyau, des tuyaux* *un veau, des veaux* *un feu, des feux* *un landau, des landaus*
• Les noms et les adjectifs en *–eau* prennent un *x* au pluriel.	• *un nouveau pinceau, des nouveaux pinceaux*
• Les adjectifs *bleu* et *feu* (dans le sens de «défunt») prennent un *s* au pluriel.	• *des draps bleus* *ses feus parents*
• L'adjectif *hébreu* prend un *x* au pluriel.	• *des vestiges hébreux*

3.2 LE PLURIEL DES NOMS ET DES ADJECTIFS (suite)

3. • Les noms en *–al* font leur pluriel en *–aux*, sauf *bal, cal, carnaval, chacal, festival, pal, récital* et *régal*, qui prennent un *s* au pluriel. • Les adjectifs en *–al* font leur pluriel en *–aux*, sauf *banal, bancal, fatal, final, glacial, natal* et *naval*, qui font leur pluriel en *–als*.	• *un cheval, des chevaux* *un bal, des bals* • *mondial, mondiaux* *fatal, fatals*
4. Les noms et les adjectifs en *–ou* prennent un *s* au pluriel, sauf les noms *bijou, caillou, chou, genou, hibou, joujou* et *pou*, qui font leur pluriel en *–oux*.	*un trou, des trous* *un comportement fou, des comportements fous* *un bijou, des bijoux*
5. Les noms en *–ail* prennent un *s* au pluriel, sauf *bail, corail, émail, soupirail, travail, vantail* et *vitrail*, qui font leur pluriel en *–aux*.	*un chandail, des chandails* *un corail, des coraux*
6. La formation du pluriel des noms et des adjectifs de forme complexe • Seuls les noms et les adjectifs peuvent prendre la marque du pluriel ; le verbe, l'adverbe et la préposition restent invariables.	**adjectif nom** • *une basse-cour, des basses-cours* **adverbe nom** *une arrière-boutique, des arrière-boutiques* **verbe verbe** *un laissez-passer, des laissez-passer* **verbe verbe** *un garde-manger, des garde-manger* **nom nom** *un garde-malade, des gardes-malades* **adjectif adjectif** *une cerise aigre-douce, des cerises aigres-douces*
• Si le premier adjectif est employé adverbialement, il reste invariable.	**adverbe adjectif** • *des fillettes court-vêtues* **adverbe adjectif** *des chiots nouveau-nés* (« nouveau » s'accorde avec le nom devant les adjectifs autres que « né » ; par exemple, *nouveaux mariés*)
• Parfois le sens du nom de forme complexe dicte le nombre d'un de ses éléments.	• *un porte-bagages*
• L'adjectif *grand*, dans les noms complexes féminins, ne porte pas la marque du féminin, mais peut porter celle du pluriel.	• *une grand-mère, des grands-mères*
• Si le nom complexe s'écrit en un seul mot, seul le dernier élément prend un *s* au pluriel, sauf ***mes**dames*, ***mes**demoiselles*, ***mes**sieurs*, *bon**s**hommes* et *gentil**s**hommes*.	• *un bonheur, des bonheurs* (de « bon » et de « heur »)

3.2 LE PLURIEL DES NOMS ET DES ADJECTIFS (suite)

• Si le premier élément de l'adjectif ou du nom se termine par – *o*, – *a* ou – *i*, cet élément est invariable.	• *des scènes tragi-comiques* *des fours à micro-ondes* *des Anglo-Saxons*
• Le premier élément de l'adjectif reste aussi invariable s'il appartient à une classe de mots invariables.	• *des régions surdéveloppées*
• Les adjectifs *frais*, *grand* et *large*, quoique employés comme adverbes, reçoivent le genre et le nombre du nom ou du pronom qui est leur donneur d'accord.	• *des fenêtres grandes ouvertes*
7. Les adjectifs de couleur	
• Les adjectifs de couleur de forme simple reçoivent le genre et le nombre de leur donneur d'accord.	• *des jupes vertes*
• Les adjectifs de couleur provenant d'un nom sont invariables, sauf *écarlate*, *fauve*, *mauve*, *pourpre* et *rose*.	• *des gants marron* *des rubans pourpres*
• Les adjectifs de couleur de forme complexe sont invariables.	• *des aiguilles vert sombre* *des gants vert clair*
8. Quelques noms ont deux pluriels :	
• de même sens ;	• *un ail, des ails* ou *des aulx* *un idéal, des idéals* ou *des idéaux*
• de sens différents.	• *un aïeul,* *des aïeux* (ancêtres), *des aïeuls* (grands-parents) *le ciel,* *les cieux* (sens religieux), *les ciels* (sens profane) *Œil* fait *yeux* au pluriel, mais *œils* dans *les œils-de-bœuf, les œils-de-perdrix.*
9. • Les adjectifs *demi*, *mi*, *semi* et *nu* placés devant le nom sont suivis d'un trait d'union et sont invariables.	• *sonner toutes les demi-heures* *aller nu-pieds*
• Lorsqu'ils sont placés après le nom qu'ils complètent, l'adjectif *demi* s'accorde seulement en genre et l'adjectif *nu* s'accorde en genre et en nombre.	• *trois heures et demie* *marcher pieds nus*
• Lorsqu'ils sont précédés de la préposition *à*, les adverbes *demi* et *nu* sont invariables et s'écrivent sans trait d'union.	• *Elle était à demi éveillée.* *Le narrateur se met à nu devant le lecteur.*

LE DÉTERMINANT

3.3 LES DÉTERMINANTS NON RÉFÉRENTS

1. Le déterminant numéral est invariable, sauf *un*, ainsi que *vingt* et *cent* dans certains cas.	*les quatre années*
2. Un trait d'union joint les éléments du déterminant numéral qui sont l'un et l'autre inférieurs à *cent* lorsqu'ils ne sont pas joints par la conjonction *et*.	*deux cent soixante-dix-huit* *trente et un*
3. *Vingt* et *cent* prennent la marque du pluriel quand ils sont multipliés sans être suivis d'un autre déterminant numéral.	*quatre-vingts dollars* *quatre-vingt-deux dollars*
4. Le déterminant *mille* reste invariable; dans les dates, on peut écrire *mil* ou *mille*. Quand *mille* désigne une unité de longueur, c'est un nom; il prend un *s* au pluriel.	*l'an mille neuf cent deux* ou *l'an mil neuf cent deux* *des milles marins*
5. Les déterminants numéraux s'emploient aussi comme pronoms.	**Dét** *Deux personnes sont venues à la réunion.* **Pronom** *Deux sont venues à la réunion.*
6. Le déterminant indéfini s'accorde généralement en genre et en nombre avec le nom qui est son donneur d'accord.	*À certains moments, il faisait un effort pour ressaisir son intelligence.*
7. Le déterminant *chaque* est toujours employé au singulier.	*Chaque projet sera examiné.*
8. Les déterminants indéfinis *aucun* (*aucune*) et *nul* (*nulle*) sont toujours employés au singulier, sauf quand le nom qu'ils introduisent n'a pas de singulier. *Aucun* et *nul* s'emploient avec *ne* à la forme négative.	*Nulle activité ne sera négligée.* *aucuns frais; nulles obsèques* *Aucun élève **ne** s'est présenté à la réunion.*
9. Le déterminant *plusieurs* est toujours employé au pluriel.	*Plusieurs personnes ont apprécié cette pièce de théâtre.*

LES MOTS APPARTENANT À PLUS D'UNE CLASSE GRAMMATICALE

3.4 LES MOTS QUI APPARTIENNENT À PLUS D'UNE CLASSE GRAMMATICALE

1. **Tout**	
• *Tout* est déterminant quand il introduit un nom; il reçoit le genre et le nombre de ce nom.	• *tous les élèves* *toutes les étudiantes*
• *Tout* est pronom quand il remplace un groupe de mots ou qu'il en est l'équivalent.	• *Les enfants applaudissent. Tous sont contents.*
• *Tout* est adverbe lorsqu'il est modificateur d'un adjectif ou d'un autre adverbe; il a alors le sens de *tout à fait, entièrement*.	• *Ils sont tout surpris.* *tout entière* *tout près*
Il est invariable, sauf lorsqu'il est modificateur d'un adjectif féminin commençant par une consonne ou un *h* aspiré.	*Elles sont toutes **s**urprises.* *toutes **h**autaines*
• *Tout* devant *autre* est déterminant quand il a le sens de *n'importe quel*.	• *Elle aimerait vivre toute autre situation.*
• *Tout* devant *autre* est adverbe, donc invariable, s'il a le sens de *tout à fait, entièrement*.	• *Sa façon d'agir est tout autre.*
• *Tout* est un nom masculin s'il est introduit par un déterminant.	• *Emportez le tout.*
2. **Même**	
• *Même* est adjectif quand, placé avant le nom qu'il complète, il a le sens de *pareil, semblable*. Placé après le nom ou le pronom qu'il complète, il exprime l'insistance.	• *Nous regardons les mêmes émissions.* *les idées mêmes* *eux-mêmes*
• *Même* est adverbe quand il est modificateur d'un verbe, d'un adjectif ou d'un autre adverbe, ou quand il est placé devant un nom précédé d'un déterminant; il a une valeur d'insistance ou de gradation, et a souvent le sens de *aussi, jusqu'à, y compris*.	• *Ils sont heureux et même ils chantent.* *Même les personnes robustes se fatiguent.* *Même malades, ils travaillent.*
• Quand il est précédé d'un déterminant, *même* peut, avec ce déterminant, former un pronom indéfini.	• *On choisit toujours les mêmes.*

3.4 LES MOTS QUI APPARTIENNENT À PLUS D'UNE CLASSE GRAMMATICALE (suite)

3. Quelque	
• *Quelque* est un déterminant quand il a le sens de *plusieurs* ou de *un certain*. Il introduit alors un nom et est remplaçable par un autre déterminant (*ce, cette, un, une, ces, des*, etc.).	• *Il a quelques années à vivre.* *Elle montre quelque penchant pour le théâtre.*
• *Quelque* est un adverbe quand il est modificateur d'un déterminant numéral, d'un adjectif ou d'un autre adverbe. Il a alors le sens de *environ* ou de *si*.	• *Il a parcouru quelque cent mètres.* *Quelque braves qu'ils soient, ils ne pourront pas gagner.*
• *Quel que* s'écrit en deux mots devant le verbe *être* au subjonctif ; *quel* s'accorde alors en genre et en nombre avec le nom ou le pronom noyau du GNs.	• *Quelles que soient ses* ***opinions****, elle sera élue.*
4. Tel	
• *Tel* est déterminant quand il introduit un nom ; il reçoit le genre et le nombre de ce nom.	• *Parlez-en à telle* ***personne****.*
• *Tel* peut être adjectif. Il reçoit alors le genre et le nombre du nom ou du pronom qu'il complète ou dont il est l'attribut.	• *Telle est ma* ***décision****.*
• *Tel* est pronom quand il désigne une personne (parfois une chose) ; il a alors le sens de *quelqu'un* (ou de *quelque chose*).	• *Tel est pris qui croyait prendre.*
• L'adjectif de forme complexe *tel quel* reçoit le genre et le nombre du nom ou du pronom qu'il complète ou dont il est l'attribut.	• *Je laisserai ma* ***chambre*** *telle quelle.*
• Dans *tel que*, l'adjectif *tel* s'accorde avec le nom ou le pronom qui le précède.	• ***Elles*** *sont telles que je les ai toujours connues.*

LE PARTICIPE PASSÉ

3.5 L'ACCORD DU PARTICIPE PASSÉ

1. Le participe passé employé sans auxiliaire de conjugaison est considéré comme un adjectif. Il s'accorde en genre et en nombre avec le nom ou le pronom qu'il complète.	FS → FS *C'est une **légende** bien connue.*
2. Le participe passé employé avec *être* ou un autre verbe attributif s'accorde en genre et en nombre avec son donneur d'accord, c'est-à-dire le nom ou le pronom noyau du GNs.	FS → FS *Cette vieille **femme** est enfermée dans sa chambre.* FS → FS *Cette **boutique** reste ouverte tard dans la nuit.*
3. Le participe passé employé avec *avoir*: • s'accorde en genre et en nombre avec le nom ou le pronom noyau du CD si ce dernier est placé avant le verbe; • est invariable si le verbe n'a pas de CD ou si le CD est placé après le verbe.	• *Mélie Caron éprouve un sentiment à la mesure de son cœur. Ce museau, cette confiance **l'**ont bouleversée.* (CD FS → FS) CD • *Mélie n'a pas aperçu **la grille du pré.***
4. Le participe passé employé avec *avoir* et suivi d'un verbe à l'infinitif: • s'accorde avec le CD placé avant lui si celui-ci fait l'action exprimée par le verbe à l'infinitif; • est invariable si le CD placé avant lui est le CD du verbe à l'infinitif.	MP → MP • *Les enfants **que** j'ai vus tomber apprenaient à marcher.* (*que* mis pour *enfants* est CD. Il est placé avant *vus* et fait l'action de *tomber*.) • *L'histoire **que** j'ai entendu raconter est invraisemblable.* (*que* est le CD de *raconter*.)
5. Le participe passé des verbes *devoir, faire, pouvoir, vouloir,* etc., suivi d'un infinitif est invariable.	*La somme qu'il a dû payer est très élevée.*
6. Le participe passé d'un verbe pronominal qui a un CD s'accorde en genre et en nombre avec le nom ou le pronom noyau de ce CD si ce dernier est placé avant le verbe. Le pronom du verbe pronominal peut être l'équivalent d'un CD. Il est remplaçable dans ce cas par *quelque chose* ou *quelqu'un*.	CD FP → FP *Les friandises **que** les enfants se sont partagées étaient délicieuses.* CD *Les enfants se sont partagé **les friandises.*** CD MP → *Ils se sont blessés en travaillant.*

3.5	L'ACCORD DU PARTICIPE PASSÉ (suite)
7. Le participe passé d'un verbe pronominal qui n'a pas de CD s'accorde en genre et en nombre avec le nom ou le pronom noyau du GNs.	MP → MP *Plusieurs **élèves** se sont absentés.*
Si le pronom compris dans le verbe pronominal est l'équivalent de *à quelque chose* ou *à quelqu'un*, le participe passé est invariable.	*Ils se sont téléphoné plusieurs fois dans la journée.* (téléphoner **à qqn**)
8. Le participe passé est invariable si le complément du verbe est le pronom *en*.	*J'ai cueilli des fraises et je lui **en** ai donné.*
9. Le participe passé est invariable si le complément du verbe exprime une durée, une mesure ou un prix.	*Les quatre **heures** qu'a duré la conférence lui parurent interminables.*
10. Le participe passé des verbes impersonnels est invariable.	*Les deux jours qu'il a plu nous ont retenus à l'hôtel.*

LE PARTICIPE PRÉSENT

3.6	L'ACCORD DU PARTICIPE PRÉSENT
1. Le participe présent qui a un sujet ou un complément est une forme verbale ; il est invariable.	*Des enfants criant de joie s'amusaient dans le parc.* *Criant à tue-tête, elles se mirent à courir.*
Pour reconnaître le participe présent, on l'encadre par *ne ... pas*.	***Ne** criant **pas** à tue-tête, elles se mirent à courir.*
2. Si le participe présent est employé comme un adjectif, il est considéré comme tel et il s'accorde en genre et en nombre avec son donneur d'accord (le nom ou le pronom qu'il complète ou dont il est l'attribut).	MS → MS *Cet **orateur** est convaincant.* FS → FS *Cette **oratrice** est convaincante.*
Cet adjectif peut avoir une orthographe différente de celle du participe présent dont il est issu.	**adjectif** *Cet orateur est convaincant.* **participe présent** *En convainquant le juge, il gagnera son procès.*

EXERCICES de grammaire

1 Soulignez d'un trait les noms masculins et de deux traits les noms féminins.

« Toutes vos nouvelles en vers ou en prose sont des contes d'amour ; presque tous vos poèmes, élégies, églogues, idylles, chansons, épîtres, comédies, tragédies, opéras, sont des contes d'amour. » (D. Diderot)

2 Transposez les phrases suivantes au féminin. Pour la phrase *b)*, il faudra remplacer le mot « fille » (l. 2) par « fils ».

a) Et le souverain, le ministre, le financier, le magistrat, le militaire, l'homme de lettres, l'avocat, le procureur, le commerçant, le banquier, l'artisan, le maître à chanter, le maître à danser sont de fort honnêtes gens, quoique leur conduite s'écarte en plusieurs points de la conscience générale et soit remplie d'idiotismes moraux. (D. Diderot)

b) Un grand nombre de fermiers, des meuniers, des cultivateurs aux environs de Paris rêvent pour leurs filles les gloires du comptoir, et voient dans un détaillant, dans un bijoutier, un gendre beaucoup plus selon leur cœur qu'un notaire ou qu'un avoué dont l'élévation sociale les inquiète ; ils ont peur d'être méprisés plus tard par ces sommités de la Bourgeoisie. (Adapté de H. de Balzac)

3 **Mettez au pluriel, s'il y a lieu, les mots entre parenthèses.**

a) En les (voyant___), il s'enfuit par des (chemin___) détournés, prend les (devant___) pour les duper.

b) Ils estiment son dos et sa gorge ; l'un déclare qu'il vaut bien trois (sou___).

c) Il se coucha contre les (panier___), en ouvrit un avec les (dent___) et voilà qu'il en a tiré [...] trente (hareng___).

d) Ils écorchent les anguilles, les coupent en (morceau___).

e) Sa maisonnée pousse (cri___) et (huée___).

f) Le mécanicien range les (marteau___), les (vis___) et les (écrou___) dans sa boîte à (outil___).

g) Les (vitrail___) de la chapelle Notre-Dame sont illuminés par les (rayon___) du soleil.

h) Dans cette course au (trésor___), les (joueur___) ont pris des (voie___) différentes.

i) Il faut préparer la voiture pour l'hiver, ses (pneu___) sont usés.

Les phrases *a)* à *e)* sont extraites du *Roman de Renart*.

4 **Transposez la phrase suivante au féminin pluriel en faisant les ajouts nécessaires pour que la phrase garde son sens.**

« Franc mais secret, rêveur avec des accès de pétulance, idéaliste et malchanceux, ce garçon de seize ans se nommait Pierre. » (Adapté de J. Bourin)

___

___

___

5 **Remplacez les mots soulignés par les mots entre parenthèses et faites les accords nécessaires.**

a) Pour ce qui est du <u>chemin</u> (route), je ne lui veux point de mal tant il est souriant, verdissant et réjouissant à voir dans le temps chaud. (G. Sand)

___

___

___

b) L'atelier [...] recevait sur son papier peint (tentures) clair, léger, estival, [...] l'éclairage varié et bizarre d'innombrables falots (lanternes) chinois, persans, mauresques, japonais, les uns en fer ajouré, découpés d'ogives comme une porte de mosquée, d'autres en papier de couleur pareils à des fruits, d'autres déployés en éventail, ayant des formes de fleurs, d'ibis, de serpents ; et tout à coup un grand faisceau (jets) électrique, rapide et bleuâtre, faisait pâlir ces mille lumières et givrait d'un clair de lune les visages et les épaules nues, toute la fantasmagorie d'étoffes, de plumes, de paillons, de rubans. (A. Daudet)

___

___

___

___

___

___

___

___

c) Pour expliquer combien ce mobilier (chaises) est vieux, crevassé, pourri, tremblant, rongé, manchot, borgne, invalide, expirant, il faudrait en faire une description qui retarderait trop l'intérêt de cette histoire, et que les gens pressés ne pardonneraient pas. (H. de Balzac)

___

___

___

6 Mettez au pluriel les noms suivants :

a) une arrière-pensée : ___

b) un chef-d'œuvre : ___

c) un trompe-l'œil : ___

d) un juge-commissaire : ___

e) un trop-plein : ___

f) une volte-face : ___

g) un branle-bas : ___

h) un faux-fuyant : ___

i) un croc-en-jambe : ___

j) un wagon-lit : ___

7 **Mettez la phrase suivante au pluriel en remplaçant le nom « obstacle » par « objections ».**

« Mais comme l'obstacle qu'il m'avait fait paraissait tout seul sur son champ de bataille, il avait un certain air victorieux dont son parti pouvait fort bien se féliciter comme d'un triomphe. » (J.-H. Bernardin de Saint-Pierre)

____

____

8 **1) Accordez les mots entre parenthèses.**

a) Je suis au milieu des dattiers (frais) et (vert) sous un ciel (matinal) (**bleu de lin**), avec des semis de très (léger) nuages en coton (blanc). (Adapté de P. Loti)

____

____

b) Elle adora cette bouche (rosé) et bien (dessiné), un petit menton (fin) et les cheveux (châtain) à filaments soyeux du Slave. (H. de Balzac)

____

____

c) L'origine d'Esther se trahissait dans cette coupe (oriental) de ses yeux à paupières (turc), et dont la couleur était un gris d'ardoise qui contractait, aux lumières, la teinte (bleu) des ailes (noir) du corbeau. (H. de Balzac)

____

____

____

d) Quand elle sut [...] qu'elle aurait un bandeau de satin (blanc), des rubans (**orange**), des souliers (mauve), des gants (**rose clair**), qu'elle serait coiffée de nœuds (argenté), elle fondit en larmes au milieu de ses compagnes (étonné). (Adapté de H. de Balzac)

____

____

____

e) Ce vieillard portait des souliers à boucles en acier à facettes, des bas de soie à raies (circulaire) alternativement (blanc) et (bleu), une culotte en pou-de-soie à boucles (ovale) (pareil) à celles des souliers, quant à la façon. Un gilet (blanc) à broderie, un vieil habit de drap (**verdâtre-marron**) à boutons de métal et une chemise à jabot plissé dormant complétaient ce costume. (H. de Balzac)

f) La (long) falaise persique, où nous allons enfin nous engager cette nuit, se déploie à perte de vue, jusqu'au fond de notre horizon vide; on la dirait (peint) à plaisir de nuances (excessif) et (heurté); des (jaune) (orangé) et des (jaune) (verdâtre) y alternent, par zébrures étranges, avec des (brun) (rouge), que le soleil couchant exagère jusqu'à l'impossible et l'effroyable; dans les lointains ensuite, tout cela se fond, pour tourner au (violet) splendide, couleur robe d'évêque. (P. Loti)

2) Qu'ont en commun les mots en caractères gras dans les phrases *a)*, *d)* et *e)* ?

3) Qu'ont en commun les trois mots soulignés dans la phrase *f)* ?

4) À quelle classe appartient le mot « lointains » dans la phrase *f)* (l. 5) ?

9 Faites les accords qui s'imposent. Indiquez entre parenthèses si l'adjectif de couleur est variable (V) ou invariable (I).

« Simplicie fut appelée à son tour pour essayer les robes que sa bonne lui avait faites avec d'anciennes robes de grande toilette de Mme Gargilier : l'une était en soie brochée grenat___ ( ) et orange___ ( ) ; l'autre en popeline à carreaux vert___ ( ), bleu___ ( ), rose___ ( ), violet___ ( ) et jaune___ ( ) : les couleurs de l'arc-en-ciel y étaient fidèlement rappelées ; deux autres, moins belles, devaient servir pour les matinées habillées ; l'une en satin marron___ ( ) et l'autre en velours de coton bleu___ ( ). »

Comtesse de Ségur, *Les deux nigauds*, 1862.

10 Dans le passage suivant :

1) soulignez d'un trait les noms et les pronoms ;

2) soulignez de deux traits les adjectifs et les participes, et reliez chacun par une flèche à son donneur d'accord. (Au besoin, reportez-vous à « Réfléchissons sur le texte », p. 81.)

« Deux de ces femmes étaient vêtues en bonnes bourgeoises de Paris. Leur fine gorgerette blanche, leur jupe de tiretaine, rouge et bleue, leurs chausses de tricot blanc, à coins brodés en couleur, bien tirées sur la jambe, leurs souliers carrés de cuir fauve à semelles noires, et surtout leur coiffure, cette espèce de corne de clinquant surchargée de rubans et de dentelles annonçaient qu'elles appartenaient à cette classe de riches marchandes. »

Victor Hugo, *Notre-Dame de Paris*, 1832.

11 Formez un adverbe à partir de chacun des mots soulignés.

« Elle gardait de Lucien d'éloquentes, d'enivrantes lettres, comparables à celles écrites par Mirabeau à Sophie, mais plus littéraires, plus soignées, car ces lettres avaient été dictées par la plus violente des passions, la vanité. »

Honoré de Balzac, *Splendeurs et misères des courtisanes*, 1844.

12 Écrivez les nombres en lettres.

a) Mais il y a des 100 (____________) et des 100 000 (____________________) ans que cette tempête est finie, s'est figée, et ne fait plus de bruit. (P. Loti)

b) Les intérêts sur billets et sur prêts hypothécaires lui avaient rapporté la somme de 1603 (________________________________) dollars et trois sous et les produits de la petite terre, 300 (__________________) dollars exactement. (C.-H. Grignon)

c) Vous êtes [...] l'héritier de mademoiselle Esther, qui n'a pas d'héritiers ni collatéraux ni directs, et sa succession se monte à près de 8 000 000 (_____________________) si l'on retrouve les 750 000 (_________________________________) francs égarés. (H. de Balzac)

d) 1903 (_______________________________) piastres et trois sous, calcula-t-il. Ajoutons ça au capital déjà placé et prêté : cela fait bien, en chiffres ronds, 18 000 (______________ ________________) piastres. Les bâtiments, la terre, la maison, les meubles, et le magasin en haut, et les trois sacs d'avoine en plus, ça fait bien, sans aucune exagération, 20 500 (_________________________________) piastres. (C.-H. Grignon)

e) Son année est très longue, 687 (________________________________) jours terrestres, soit 668 (_______________________________) jours martiaux, décomposés comme suit : 191 (_______________________________) pour le printemps, 181 (______________ ___________) pour l'été, 149 (_______________________________) pour l'automne et 147 (_______________________________) pour l'hiver. [...] Sachez donc qu'en 1884 (_______________________________), Mars se trouve en opposition et séparée de nous par une distance de 24 000 000 (_______________________________) de lieues seulement. Le diamètre de Mars est presque moitié plus petit que le nôtre ; sa surface n'a que les 26 (__________________) centièmes de celle du globe. (G. de Maupassant)

13 Remplissez les espaces par « tout », « toute », « tous » ou « toutes » et indiquez au-dessus la classe à laquelle appartient le mot choisi.

a) Le moine s'enfuit à ___________ jambes. (D. Diderot)

b) Les sots admirent ___________ dans un auteur estimé. (Voltaire)

c) Et des arbustes, ___________ fleuris en touffes blanches, laissent dans l'air des traînées de parfum. (P. Loti)

d) Je n'arrivais point de fois ici que je ne les visse ___________ deux ___________ nus. (J.-H. Bernardin de Saint-Pierre)

e) Son contentement était tel que ___________ souriaient quand ils discutaient avec lui. (P. Coelho)

f) As-tu étudié ce bois, ces cordes, cet archet, ce crin, ce crin surtout ? Espères-tu réunir, assembler, dompter sous tes doigts ce ___________ merveilleux ? (A. Dumas)

g) Une seule phrase et mille sentiments de douleur, les misères d'une nation ; un seul accord et ___________ les accidents de la nature à son réveil, ___________ les expressions de la joie d'un peuple. Ces deux immenses pages sont soudées par un appel au Dieu toujours vivant, auteur de ___________ choses, de cette douleur comme de cette joie. (H. de Balzac)

14 Remplissez les espaces par « même » ou « mêmes » et indiquez au-dessus la classe à laquelle appartient le mot choisi.

a) Grive n'avait pas les ___________ idées. (É. Zola)

b) Chaque jour, les sensations des époux étaient à peu près les ___________ . (É. Zola) *c)* Elle aimait ____________ certaines chansons grivoises de Béranger à cause des regrets qu'elles expriment. (G. de Maupassant)

d) Ces filles de théâtre sont toutes les ______________ . Rose a pleuré de rage en lisant l'article de Léon sur Nana. (É. Zola)

e) Le comte avait fortement dîné chez le prince, grand mangeur et beau buveur. Tous deux étaient ________________ un peu gris. (É. Zola)

15 Remplissez les espaces par « quelque » ou « quel que » en faisant les accords nécessaires.

a) ____________________ légers que fussent ses reproches, il allait être battu, et l'avantage qu'il venait d'obtenir, anéanti. (Stendhal)

b) ____________________ années s'écoulèrent de la sorte, sans que les deux vieillards lui pussent arracher son secret. (F. R. de Chateaubriand)

c) Les réapparitions d'une même âme dans son enveloppe supérieure se succédaient à intervalles réguliers, ___________________ eussent été ses fautes antérieures. (G. de Maupassant)

d) Elle mit sur la tête de sa nièce les quarante et ____________________ mille francs qu'elle possédait. (É. Zola)

e) Il fallait absolument que l'un d'eux disparût pour que l'autre goûtât ___________________ repos. (É. Zola)

f) D'ailleurs, il est de si bon goût de respecter les femmes, ____________________ soit leur âge, et de reconnaître les distinctions sociales sans les mettre en question. (H. de Balzac)

16 **Remplissez les espaces par « tel », « telle », « tels » ou « telles » et indiquez au-dessus si le mot choisi est déterminant ou pronom. S'il s'agit d'un déterminant, reliez-le par une flèche à son donneur d'accord.**

a) ___________ est pris qui croyait prendre. (J. de La Fontaine)

b) Mais ce n'était rien de ___________, en réalité. (P. Coelho)

c) Ah, les monstres! s'écria Candide, quoi! de ___________ horreurs chez un peuple qui danse et qui chante. (Voltaire)

d) ___________ que vous me voyez, je ne suis point femme d'intérieur et l'entretien d'une maison m'assomme. (J. Bourin)

e) Je n'avais point encore eu de preuves de son affection qui pussent me la faire regarder autrement que comme une simple amitié de collège, ___________ qu'elle se forme entre de jeunes gens qui sont à peu près du même âge. (abbé Prévost)

17 **Remplissez les espaces par « quel », « quelle », « quels » ou « quelles » et reliez par une flèche chacun de ces mots à son donneur d'accord.**

a) Dans ______________ œuvre ancienne ou contemporaine rencontrerez-vous une si grande page? la plus splendide joie opposée à la plus profonde tristesse? ______________ cris! ______________ notes sautillantes! comme l'âme oppressée respire, ______________ délire, ______________ *tremolo* dans cet orchestre, le beau *tutti*. (H. de Balzac)

b) Avec ______________ sainte et poétique horreur j'errais dans ces vastes édifices consacrés par les arts et la religion! ______________ labyrinthe de colonnes! ______________ succession d'arches et de voûtes! (F. R. de Chateaubriand)

18 Faites l'accord de « demi » et ajoutez un trait d'union s'il y a lieu.

a) Dans l'atelier en demi___ jour, une foule se pressait, d'artistes, de modèles, de femmes de théâtre, tous les danseurs, tous les soupeurs des dernières fêtes. (A. Daudet)

b) Je demeurais immobile, l'esprit à demi___ endormi, la bouche souriante, l'œil fixé sur cette douce réverbération dorée qui diaprait le plafond. (V. Hugo)

c) Il était à peine dix heures et demi___ ; et elle fut prise d'une peur horrible de cette nuit entière à passer là. (G. de Maupassant)

19 Accordez les mots entre parenthèses s'il y a lieu.

a) J'ai toujours trouvé la misogynie vulgaire et (sot) ______________ , et presque (tout) ______________ les femmes que j'ai (connaître) ______________ , je les ai (juger) ______________ (meilleur) ______________ que moi. Cependant, les (plaçant) ______________ si (haut) ______________ , je les ai (utiliser) ______________ plus souvent que (servir) ______________ . (A. Camus)

b) Une côte rocheuse (escalader) ______________ de vignes, (étayer) ______________ de muretins de pierre, puis en haut, derrière des files de cyprès contre le vent du nord, et s'accotant à un petit bois de pins et de myrtes aux (clair) ______________ reflets, la grande maison (blanc) ______________ , moitié ferme et moitié château, large perron, toiture (italien) ______________ , portes (écussonner) ______________ , que continuaient les murailles (roux) ______________ du mas provençal, les perchoirs pour les paons, la crèche aux troupeaux, la baie (noir) ______________ des hangars (ouvrir) ______________ sur le luisant des charrues et des herses. La ruine d'(ancien) ______________ remparts, une tour énorme, (déchiqueter) ______________ sur un ciel sans nuage, dominait le tout. (A. Daudet)

20 **Ajoutez aux mots la terminaison qui convient (« é » ou « er ») et faites les accords nécessaires.**

a) Un autre passage d'une assez grande déclivit_______ succéda aux degr_______ . (T. Gautier)

b) Ces plumes ainsi pos_______ rappelaient les antennes des scarab_______ et donnaient à ceux qui en étaient coiff_______ une bizarre apparence d'insectes. (T. Gautier)

c) Dès l'arriv_______ de madame Derville, il sembla à Julien qu'elle était son amie; il se hâta de lui montr_______ le point de vue que l'on a de l'extrémit_______ de la nouvelle all_______ sous les grands noy_______ . (Stendhal)

d) Ces damn_______ Égyptiens étaient si rus_______ pour cach_______ l'entr_______ de leurs terri_______ funèbres! Ils ne savaient que s'imagin_______ afin de désorient_______ le pauvre monde, et on dirait qu'ils riaient par avance de la mine décontenanc_______ des fouilleurs. (T. Gautier)

e) Aussitôt les chevaux furent command_______ , et la Cataneo partit à l'instant pour Venise, afin d'assist_______ à l'ouverture de la saison d'hiver. Par une belle soir_______ du mois de novembre, le nouveau prince de Varèse traversait donc la lagune de Mestre à Venise, entre la ligne de poteaux aux couleurs autrichiennes qui marque la route concéd_______ par la douane aux gondoles. Tout en regardant la gondole de la Cataneo men_______ par des laquais en livr_______ , et qui sillonnait la mer à une port_______ de fusil en avant de lui, le pauvre Emilio, conduit par un vieux gondoli_______ qui avait conduit son père au temps où Venise vivait encore, ne pouvait repouss_______ les amères réflexions que lui suggérait l'investiture de son titre. (H. de Balzac)

21 Accordez correctement l'adjectif ou le participe et reliez-le à son donneur d'accord par une flèche.

a) Seul___, dans la vie, avaient été doux___ pour lui, les pierres. (A. de Saint-Exupéry)

b) Non, monsieur; mais si les souhaits que j'ai fait___ pour sa prospérité n'ont pas été rempli___, ce n'est pas faute d'avoir été sincère___ . (D. Diderot)

c) Les poissons périrent dans la rivière, tué___ par cette commotion inattendu___ ; enfin, trente personnes, enlevé___ par l'ouragan de flammes, retombèrent en lambeaux et cent cinquante furent blessé___ . (A. Dumas)

d) Divers___ espèces d'aloès, la raquette chargé___ de fleurs jaune___ fouetté___ de rouge, les cierges épineux___, s'élevaient sur les têtes noir___ des roches, et semblaient vouloir atteindre aux long___ lianes, chargé___ de fleurs bleu___ ou écarlate___, qui pendaient çà et là le long des escarpements de la montagne. (J.-H. Bernardin de Saint-Pierre)

e) Atterré___, ils regardaient leur intérieur envahi___ et souillé___; puis, l'alerte fini___, le feu éteint___, quand le noir___ attroupement en bas, sous le gaz de la rue, se fut dissipé___, les voisins rassuré___, rentré___ chez eux, les deux amants au milieu de ce gâchis d'eau, de suie en boue, de meubles renversé___ et ruisselant___, se sentirent écœuré___ et lâche___, sans force pour reprendre la querelle ni faire la chambre propre autour d'eux. (A. Daudet)

f) Le feu lui servit encore à dépouiller le chou de l'enveloppe de ses long___ feuilles ligneux___ et piquant___ . Virginie et lui mangèrent une partie de ce chou cru___, et l'autre cuit___ sous la cendre, et ils les trouvèrent également savoureux___ . Ils firent ce repas frugal rempli___ de joie par le souvenir de la bon___ action qu'ils avaient fait___ le matin; mais cette joie était troublé___ par l'inquiétude où ils se doutaient bien que leur long___ absence de la maison jetterait leurs mères. (J.-H. Bernardin de Saint-Pierre)

22 **Dans le passage ci-dessous :**

1) accordez s'il y a lieu les adjectifs et les participes soulignés ;

« Élégant ____, certes elles l'étaient toujours, attifé ____ à la mode nouvelle, aux couleurs du printemps, délicieusement chiffonné ____ de la collerette aux bottines ; mais si **fané** ____, fardé ____, retapé ____ ! Sombreuse sans cils, les yeux mort ____, la lèvre détendu ____, elle tâtonnait autour de son assiette, de sa fourchette, de son verre ; la
5 Desfous énorme, couperosé ____, une boule d'eau chaud ____ aux pieds, étalait sur la nappe ses pauvre ____ doigts goutteux et tordu ____, aux bagues étincelant ____, aussi **difficile** ____, compliqué ____ à entrer et à sortir que les anneaux d'une question romaine. Et Claudette, **tout** ____ mince, avait une taille jeunet ____ qui faisait plus hideux ____ sa tête décharné ____ de clown malade sous une crinière d'étoupe jaune.
10 Celle-là, ruiné ____, saisi ____, était **allé** ____ tenter un dernier coup à Monte-Carlo et en revenait sans un sou, enragé ____ d'amour pour un beau croupier qui n'avait pas voulu d'elle ; Rosa, l'ayant **recueilli** ____, la nourrissait, s'en faisant gloire. »

Adapté d'Alphonse Daudet, *Sapho*, 1884.

2) expliquez l'accord des mots en caractères gras.

a) fané (l. 3) : ____________________

b) difficile (l. 7) : ____________________

c) tout (l. 8) : ____________________

d) allé (l. 10) : ____________________

e) recueilli (l. 12) : ____________________

23 Encerclez les erreurs qui se sont glissées dans les phrases suivantes et faites les corrections dans la marge.

a) Cette pierre, c'était moi qui l'avait gravé ! (G. de Maupassant)

b) Grâce, du reste, à cette prudente mesure, les chefs de ces clans ennemis vécurent heureux, aimé, écouté de leurs disciples, obéie et vénérée. (G. de Maupassant)

c) Une fois marquée, une fois immatriculée, les espions et les condamnés ont pris, comme les diacres, un caractère indélébile. (H. de Balzac)

d) Par une électrique projection de pensée, il franchit les trois milles cinq cent ans que sa rêverie avait remonté. (T. Gautier)

e) Les cadavres ne sont pas retourné à la poussière d'où ils étaient sortit ; mais ils se sont pétrifiées sous une forme hideux qu'on ne saurait regardés sans dégoût ou sans effroi. (T. Gautier)

f) Comme il tenait sa bougie élevé à bout de bras pour m'apercevoir, son crâne m'apparut comme une petite lune dans cette vaste chambre encombré de vieux meubles. La figure était ridée et bouffi, les yeux imperceptible. (G. de Maupassant)

g) Sous la Restauration, la noblesse s'est toujours souvenu d'avoir été battu et volé ; aussi, mettant à part deux ou trois exceptions, est-elle devenue économe, sage, prévoyant, enfin bourgeois et sans grandeur. (H. de Balzac)

h) Au fond du couloir, une porte de pierre, scellé comme l'autre d'un sceau d'argile, et surmonté du globe aux ailes déployés, témoignait que la sépulture n'avait pas été violer, et indiquait l'existence d'un nouveau corridor plus avant dans le ventre de la montagne. (T. Gautier)

i) Les désordres de la comptabilitée de l'administration algérien qui ont été signalés par la mort et par la fuite de deux employés ont influés sur la détermination pris par ce haut fonctionnaire. En apprenant les fautes commise par des employés, en qui malheureusement il avait placés sa confiance, M. le baron Hulot a éprouvé dans le cabinet même du ministre une attaque de paralysie. (H. de Balzac)

j) Elle s'était alors soulevé lentement, appuyant une main à sa chaise, tandis que l'autre laissait échappé la broderie de ses doigts entrouvert. Elle était rester un instant immobile ; puis, lentement, elle s'était avancé vers la porte, et, comme nous l'avons dits, ombre évoqué de la vie matérielle, elle était apparut, poétique vision, à la porte du cabinet de maître Gottlieb Murr. (A. Dumas)

k) Le mari alla droit à la chambre de sa femme, et, par la porte entrouvert, il la vit prosterner devant son crucifix, abîmé dans la prière, et dans une de ces poses expressifs qui font la gloire des peintres ou des sculpteurs assez heureux pour les bien rendre après les avoir trouvés. (H. de Balzac) *l)* Des coffrets peints et chamarrées d'hiéroglyphes étaient placées sur le tombeau; des tables de roseau soutenaient encore les offrandes funèbres; rien n'avait été touché dans ce palais de la Mort, depuis le jour où la momie, avec son cartonnage et ses deux cercueils, s'était allongés sur sa couche de basalte. Le ver du sépulcre, qui sait si bien se frayer passage à travers les bières les mieux fermés, avait lui-même rebroussé chemin, repoussée par les âcres parfums du bitume et des aromates. (T. Gautier)

24 Accordez les participes passés en indiquant entre parenthèses le mot qui est leur donneur d'accord.

a) Et cette confiance qu'elle m'avait marqué___ (__________________) pour des ressources qui m'étaient inconnu___ (__________________). (abbé Prévost)

b) Elle est assis___ (__________________) auprès de sa fenêtre, le dos tourné à la porte, occupé___ (__________________) à relire une lettre de son cousin l'officier, que j'avais décacheté___ (__________________). (Beaumarchais)

c) Depuis que les Juifs avaient été chassé___ (__________________) de Paris par le feu roi Philippe Auguste, puis rappelé___ (__________________) par lui un peu plus tard, pour des raisons de finances, leur communauté s'était éparpillé___ (__________________). (J. Bourin)

d) En un raccommodement, qui s'était fait____ (____________________________) entre lui et Mme de Valentinois, il y avait quelques jours, sur des démêlés qu'ils avaient eu____ (______________________) pour le maréchal de Brissac, le roi lui avait donné____

(_________________) une bague et l'avait prié___ (_________________) de la porter. Pendant qu'elle s'habillait pour venir à la comédie, il avait remarqué_______ (_________________) qu'elle n'avait point cette bague, et lui en avait demandé___ (_________________) la raison; elle avait paru___ (_________________) étonné___ (_________________) de ne pas l'avoir, et l'avait demandé___ (_________________) à ses femmes, lesquelles, par malheur, ou faute d'être bien instruit___ (_________________), avaient répondu___ (_________________) qu'il y avait quatre ou cinq jours qu'elles ne l'avaient vu___ (_________________). (Adapté de Mme de La Fayette)

25 Ajoutez aux mots la terminaison «-ant», faites les accords nécessaires et indiquez au-dessus du mot complété la classe à laquelle il appartient.

a) Vingt marteaux pes_______, et retomb_______ avec un bruit qui fait trembler le pavé, sont élevés par une roue que l'eau du torrent fait mouvoir. (Stendhal)

b) Une jeune femme qui, pour elle, avait des sembl_______ d'amitié, qui lui disait tout en la consult_______, la flatt_______ et paraiss_______ vouloir se laisser conduire par elle, devint donc en peu de temps plus chère à l'excentrique cousine Bette que tous ses parents. (H. de Balzac)

c) Émilio ne put s'empêcher de penser aux jours [...] où l'on entendait sur son perron baisé par les flots les masques élég_______ et les dignitaires de la République se press_______ en foule; où ses salons et sa galerie étaient enrichis par une assemblée intriguée et intrig_______; où la grande salle des festins meublée de tables rieuses, et ses galeries au pourtour aérien pleines de musique, semblaient contenir Venise entière all_______ et ven_______ sur les escaliers retentiss_______ de rires. (H. de Balzac)

Erreurs volontaires

1 Selon la place des mots qui complètent le mot « gens », faites les accords appropriés.

« Certains gens dit vertueux et probe, semblablement à Nucingen, ont ruiné leurs bienfaiteurs, et certains gens sorti de la Police Correctionnelle sont d'une ingénieuse probité pour une femme. » (H. de Balzac)

____

____

____

____

2 Remplacez l'adjectif « honnête » par « franc » et faites les accords nécessaires.

« Cependant je vois une infinité d'honnêtes gens qui ne sont pas heureux et une infinité de gens qui sont heureux sans être honnêtes. » (D. Diderot)

____

____

____

____

3 Remplacez l'adjectif « jeune » par « petit » et faites les accords nécessaires.

« Ces vieux jeunes gens, aussi bien que ces jeunes vieillards, éprouvèrent une sensation si vive qu'ils envièrent à Lucien ce privilège sublime de cette métamorphose de la femme en déesse. » (H. de Balzac)

____

____

____

____

4 **Expliquez l'accord des deux adjectifs soulignés.**

« Ces gens-là portaient la tête si droite, ils avaient tous l'air si insolent, si provocateur, que la pitié ne venait pas facilement mouiller nos yeux. » (A. Dumas)

____

____

____

____

5 **1) Mettez la phrase suivante au passé composé en faisant tous les changements nécessaires.**

« L'orgue se tait, et le soleil se cache derrière les montagnes, comme si l'un et l'autre étaient gouvernés par la même main. » (P. Coelho)

____

____

____

2) Dans la phrase que vous venez de récrire, quels changements devriez-vous effectuer si les noms « orgue » et « soleil » étaient au pluriel ?

____

____

____

6 **Mettez le verbe entre parenthèses au participe passé et accordez-le. Reliez chaque participe passé à son donneur d'accord par une flèche et indiquez la fonction du groupe auquel appartient ce dernier.**

a) C'était au moment où il revenait, le jour de la Quasimodo, de dire sa messe des paresseux à leur autel, que son attention avait été (éveiller) éveillée par le groupe de vieilles glapissant autour du lit des enfants (trouver) trouvés .

b) C'est à grande peine et à grande patience que Claude Frollo était (parvenir) parvenu à lui apprendre à parler. Mais une fatalité était (attacher) attachée au pauvre enfant (trouver) ______________ . Sonneur de Notre-Dame à quatorze ans, une nouvelle infirmité était (venir) ______________ le parfaire ; les cloches lui avaient (briser) ______________ le tympan ; il était (devenir) ______________ sourd. La seule porte que la nature lui eût (laisser) ______________ toute grande ouverte sur le monde s'était brusquement (fermer) ______________ à jamais.

c) Il est certain que l'archidiacre visitait souvent le cimetière des Saints-Innocents, où son père et sa mère avaient été (enterrer) ______________ .

d) Il est certain qu'on l'avait (voir) ______________ souvent [...] entrer furtivement dans une petite maison qui faisait le coin de la rue des Écrivains et de la rue Marivault. C'était la maison que Nicolas Flamel avait (bâtir) ______________ , où il était (mourir) ______________ vers 1417. Quelques voisins même affirmaient avoir (voir) ______________ une fois par un soupirail l'archidiacre Claude creusant, remuant et bêchant la terre dans ces deux caves, dont les jambes étrières avaient été (barbouiller) ______________ de vers et d'hiéroglyphes sans nombre par Nicolas Flamel lui-même. On supposait que Flamel avait (enfouir) ______________ la pierre philosophale dans ses caves.

e) [Elle] recev[ait] ainsi la charité après l'avoir (faire) ______________ . [...] Maintes femmes étaient (venir) ______________ y pleurer, jusqu'à la mort, des parents, des amants, des fautes.

f) Elle était seule, seule dans cette vie, (montrer) ______________ du doigt, (crier) ______________ par les rues, (battre) ______________ des sergents, moquée des petits garçons en guenilles. Et puis, les vingt ans étaient (venir) ______________ ; et vingt ans, c'est la vieillesse pour les femmes amoureuses.

g) Elle avait entre autres une paire de petits souliers, que le roi Louis XI n'en a certainement pas (avoir) ______________ de pareils ! Sa mère les lui avait (coudre) ______________ et (broder) ______________ elle-même, elle y avait (mettre) ______________ toutes ses finesses de dorelotière et toutes les passequilles d'une robe de bonne Vierge.

h) Mais la mère la baisa plus fort et s'en alla ravie de la bonne aventure que les devineresses avaient (dire) ______________ à son Agnès.

i) Il songea à cette malheureuse fille qui l'avait (perdre) ______________ et qu'il avait (perdre) ______________ .

Victor Hugo, *Notre-Dame de Paris*, 1832.

7 1) Mettez les verbes soulignés au passé composé en faisant les accords nécessaires.

« En effet, la musique et les enchantements de la scène sont purement accessoires, le grand intérêt est dans les conversations qui s'y tiennent (______________ ______________), dans les grandes petites affaires de cœur qui s'y traitent (______________), dans les rendez-vous qui s'y donnent (______________
5 ______________), dans les récits et les observations qui s'y parfilent. Le théâtre est la réunion économique de toute une société qui s'examine (______________ ______________) et s'amuse (______________) d'elle-même. Les hommes admis dans la loge se mettent (______________) les uns après les autres, dans l'ordre de leur arrivée, sur l'un ou l'autre sofa. Le premier venu
10 se trouve (______________) naturellement auprès de la maîtresse de loge ; mais quand les deux sofas sont (______________) remplis, le plus ancien brise (______________) la conversation, se lève (______________) et s'en va (______________). »

Adapté d'Honoré de Balzac, *Massimilla Doni*, 1839.

2) Remplacez le nom « hommes » (l. 8) par « femmes » et récrivez cette dernière partie du texte au passé composé en faisant les modifications nécessaires.

____

____

____

____

____

3) À quelle classe appartient chacun des mots auxquels vous avez apporté des modifications ?

____

____

____

Erreurs volontaires

8 Dans les phrases suivantes, rétablissez les majuscules manquantes et indiquez la classe du mot corrigé au-dessus.

a) Ainsi va la vie italienne : le matin l'amour, le soir la musique, la nuit le sommeil. (H. de Balzac)

b) Le génois regrette sa république, le milanais veut son indépendance, le piémontais souhaite le gouvernement constitutionnel, le romagnol désire la liberté… (H. de Balzac)

c) Les républiques italiennes ont été la gloire de l'europe au moyen âge. Pourquoi l'italie a-t-elle succombé, là où les suisses, ses portiers, ont vaincu ? (H. de Balzac)

d) Les villes d'allemagne sont très libres, n'obéissant à l'empereur que lorsqu'elles le jugent à propos. (N. Machiavel)

e) Il fallait donc que moïse trouvât le peuple d'israël esclave en égypte, opprimé par les tyrans et disposé à suivre un libérateur. (N. Machiavel)

f) Le 17 octobre 1813, à leipzig, une trêve observée entre les français et les troupes alliées interrompait la terrible lutte qui, engagée la veille, devait se continuer avec tant d'acharnement pendant deux jours subséquents. (R. Roussel)

g) Durant l'automne de 1775, voltaire, alors octogénaire et saturé de gloire, était l'hôte de frédéric au château de sans-souci. (R. Roussel)

h) Ce n'est pourtant pas, reprit hoffman en souriant, ce n'est pourtant pas en italie que mozart a fait le *mariage de figaro* et *don juan*, puisqu'il a fait l'un à vienne pour l'empereur, l'autre à prague pour le théâtre italien. (A. Dumas)

i) J'ai su que messieurs les religieux chevaliers de malte n'y manquent jamais quand ils prennent des turcs et des turques: c'est une loi du droit des gens à laquelle on n'a jamais dérogé. (Voltaire)

9 Dans ce texte, certaines majuscules ont été omises tandis que d'autres ont été ajoutées. Repérez les erreurs, corrigez-les et justifiez votre réponse.

«Il existe un vocabulaire Français général: ce sont les mots communs à tous les français, *père, mère, frère*. Le Canada doit garder ses achigans et ses orignaux. Chaque province de France conserve traditionnellement un Français dialectal. Pourquoi les canadiens Français n'appelleraient-ils pas patates frites (ou même *pétaques*), les pommes de terre que les paysans dénomment des Canadas (des pommes du Canada)?»

Adapté de Claude-Henri Grignon, *L'action nationale*, 1941.

Récapitulation

1 Accordez les adjectifs et les participes passés dans ce texte.

L'accident

« Le spectacle était rudement bien monté___.

D'abord, au centre du déploiement, les premiers protagonistes du drame, les deux vieilles autos qui s'étaient rencontré___ n'allant pas plus loin, les moteurs l'un à l'autre soudé___, et qui avaient laissé___ continuer leurs passagers les plus pressé___
5 par les portières ouvert___ et même par les fenêtres. Les autres voyageurs étaient resté___ dedans, soit pour s'assommer, soit pour s'infliger de vilaines coupures, soit pour mourir tout simplement. Le dénommé___ Didier était un de ceux qui n'avaient pas pris ___ leur vol. La veille, il avait plu___. On l'avait sorti___ pour le coucher sur l'asphalte lavé___ à côté de ses deux compagnons, l'un son fils, l'autre Lafleur, un
10 Monsieur qu'il voisinait pour la première fois, mais que nous, le Capitaine et moi, connaissions de vieille date.

Ensuite, tourné___ vers cette ferraille, ces cadavres, braquant sur eux leurs phares et enveloppant toute la scène du rouge de leurs clignotants, quatre voitures de police et deux camions de pompiers disposé___ en demi-cercle. Comme théâtre c'était
15 d'autant plus saisissant que les blessés n'étaient déjà plus là pour distraire l'attention. En m'en venant j'avais aperçu___ en effet dans la campagne, sautant d'un buisson à l'autre, l'ambulance qui fuyait sur une autre route. La foule complétait le cercle, silencieuse et recueilli___. Trois couvertures de laine avaient été étendu___, carreaux rouges sur le chemin noir. On me fit l'honneur des statues, les dévoilant
20 l'une après l'autre pour que j'apprécie le travail de l'auteur. »

Jacques Ferron, « Armaguédon », dans *Contes*,
© Éditions Hurtubise HMH, coll. « L'Arbre », 1968, p. 133.

2 Répondez aux questions suivantes en vous reportant au texte ci-dessus.

1) Donnez la classe des mots suivants :

a) allant (l. 3) : ____________________ *d)* clignotants (l. 13) : ____________________

b) braquant (l. 12) : ____________________ *e)* saisissant (l. 15) : ____________________

c) enveloppant (l. 13) : ____________________ *f)* dévoilant (l. 19) : ____________________

2) Donnez le genre du mot « ambulance » (l. 17). ____________________

3) Dites à quoi fait référence l'auteur quand il parle de « statues » (l. 19).

4) Trouvez un homonyme au mot « statues » (l. 19) et au mot « soit » (l. 6), et composez une phrase contenant ces deux homonymes.

5) Composez une phrase dans laquelle il y aura un adjectif qui sera une expansion du nom « statues » (l. 19).

6) Expliquez pourquoi le mot « même » (l. 5) est au singulier et donnez la classe de ce mot.

7) Mettez « demi-cercle » (l. 14) au pluriel et trouvez deux autres noms formés avec « demi » qui suivent la même règle.

8) À la ligne 10, remplacez « moi » par « toi » puis par « Julie » et faites les accords nécessaires.

9) À la ligne 4, remplacez « qui avaient laissé___ continuer leurs passagers » par « qui les avaient laissé___ continuer » ; faites l'accord et expliquez-le.

10) Dans la deuxième phrase (l. 2-5), trouvez trois mots qui réfèrent au mot « autos » et donnez la classe de chacun.

____

____

11) Composez une phrase au passé composé dans laquelle le mot « autos » sera le noyau d'un GN antécédent du pronom relatif « dont », puis une autre dans laquelle il sera le noyau d'un GN antécédent du pronom relatif « lesquelles », construit avec ou sans préposition.

____

____

12) Mettez au féminin le passage allant de « Le dénommé Didier... » (l. 7) jusqu'à « de vieille date » (l. 11).

La dénommée Diane était... ____

____

____

____

____

____

____

____

13) Conjuguez les verbes « s'assommer » et « s'infliger » (l. 6) au passé composé, à la troisième personne du pluriel et expliquez l'accord des participes passés.

____

____

____

____

14) Trouvez un verbe impersonnel dans le texte.

____

Autocorrection

À l'aide du tableau ci-dessous, corrigez les mots mal orthographiés et justifiez vos corrections.

a) Ma pauvre Charlotte, tu te croyais maline. (B. Clavel)

b) La maison qu'il a repeint extérieurement l'été dernière a l'air tout neuve avec ses planches rouges sombres. (B. Clavel)

c) Le couple Samsa étaient assis bien droits dans leur lit et avait du mal à surmonté la frayeur que lui avait causé la femme de ménage, avant même de saisir la nouvelle annoncé. (F. Kafka)

Mot correctement orthographié	Classe du mot	Justification de la correction

Évaluez VOS CONNAISSANCES

1 Lequel de ces mots en gras est mal orthographié?

a) C'est une rue, ce village, rien qu'une large rue, dont les pentes brusques rendent la **montée** et la descente assez pénibles. (J. Verne)

b) Sans doute on avait sa **pâtée** quand même, on mangeait, mais si peu, juste de quoi souffrir sans crever, écrasé de dettes, poursuivi comme si l'on volait son pain. (É. Zola)

c) Je dois dire, cependant, en sa faveur, qu'il a été pris au dépourvu par la **rapidité** inattendue de votre enquête. (M. Leblanc)

d) Le vétérinaire comprit qu'il se heurtait à une **volontée** réfléchie. (M. Aymé)

2 Lequel des adjectifs de couleur est mal accordé?

a) Le ciel est rouge avec de longues traînées mauves.

b) L'oiseau à tête noir sautille vers l'intérieur tandis que Cyrille sort une grosse boîte de fromage et un paquet de pain.

c) Il examine les pommes de terre dont les germes d'un violet tendre sortent déjà.

d) Il va vers la porte de la deuxième pièce qui ouvre au fond, à côté du lit double à carcasse de métal noir où court un filet doré.

e) Il fouille dans la poche de sa grosse chemise à carreaux noirs et rouges, sort une allumette dont il écrase le bout d'une pichenette de son gros ongle brun et délité.

Adapté de phrases diverses extraites de Bernard Clavel, *L'angélus du soir*, 1988.

3 Laquelle des phrases suivantes ne contient pas un «leur» pronom personnel?

a) Puis, brusquement, ils se rappelèrent qu'ils coucheraient ensemble, le soir, dans quelques heures; alors, ils se regardèrent, étonnés, ne comprenant plus pourquoi cela leur serait permis. (É. Zola)

b) Il leur sembla que leurs regards pénétraient mutuellement leur chair et enfonçaient en eux des phrases nettes et aiguës. (É. Zola)

c) Ensemble ils s'interrogent sur les gens de Public, sur les clients, ils leur inventent des aventures. (S. de Beauvoir)

d) Une pluie fine et pénétrante glaçait l'air, et collait sur leurs genoux leurs pantalons de toile, de gris devenus noirs. (V. Hugo)

4 Laquelle des phrases suivantes contient un «quelque» mal orthographié?

a) Elle n'avait plus que quelques heures à regarder son visage, ce visage immobile et sans pensée. (G. de Maupassant)

b) Au bout de quelques temps, elle crut à la réalité de cette comédie. (É. Zola)

c) Ganimard paraissait quelque peu interloqué. (M. Leblanc)

d) Desglands et son rival restaient immobiles ou la secouaient, et quelques pleurs s'échappaient de leurs yeux. (D. Diderot)

5 Laquelle des phrases suivantes contient un «tout» déterminant?

a) Tous ces mots qu'on dit!

b) Voici venir ce qu'elle redoute plus que la mort: un de ces moments où tout s'effondre.

c) Nous sommes entrés dans une salle pleine de vases, et j'ai vu qu'il y avait des salles et des salles en enfilade, toutes pleines de vases.

d) Ses oreilles sont devenues toutes rouges.

Phrases diverses extraites de Simone de Beauvoir, *Les belles images*, 1966.

6 Choisissez, parmi les réponses suggérées, celle qui donne, dans l'ordre, les bons accords du mot «tout».

«Il se fit dans l'assemblée un grand silence accompagné de rires étouffés pour écouter __________ les noms saugrenus et __________ les qualifications bourgeoises que chacun de ces compagnons transmettait imperturbablement à l'huissier, qui jetait ensuite noms et qualités pêle-mêle et __________ estropiés à travers la foule; __________ roides, gourmés, empesés, endimanchés de velours et de damas, bonnes têtes flamandes après __________ .»

Victor Hugo, *Notre-Dame de Paris*, 1832.

a) tout, toutes, tous, tous, toute

b) tous, toutes, toutes, tout, tout

c) tous, toutes, tout, tout, tout

d) tout, tous, tout, tous, toute

e) tous, toutes, tout, tous, tout

7 **Si vous remplacez le nom «enfant» par le nom «fille», lequel des participes passés ne subira aucun changement?**

«Monsieur l'archevêque s'est intéressé à l'<u>enfant</u> d'Égypte, l'a exorcisé, l'a béni, lui a ôté soigneusement le diable du corps, et l'a envoyé à Paris pour être exposé sur le lit de bois, à Notre-Dame.»

Victor Hugo, *Notre-Dame de Paris*, 1832.

a) exorcisé

b) béni

c) ôté

d) envoyé

e) exposé

8 **Dans la phrase suivante, combien de mots doivent s'accorder avec le mot «chèvre»?**

«Alors Gringoire vit arriver un joli petit <u>chèvre</u> blanc, alerte, éveillé, lustré, avec des cornes dorées, avec des pieds dorés, avec un collier doré, qu'il n'avait pas encore aperçu.»

Victor Hugo, *Notre-Dame de Paris*, 1832.

a) 3 mots

b) 4 mots

c) 5 mots

d) 6 mots

e) 7 mots

9 **Lequel des déterminants numéraux soulignés comporte une faute d'accord?**

«C'est à douze trillions, <u>huit cent quarante et un</u> **(a)** billions, <u>trois cent quarante-huit</u> **(b)** millions, <u>deux cent quatre-vingt-quatre mille six cent vingt-trois</u> **(c)** mètres et sept décimètres, que cette planète décrit son orbite autour du soleil, en <u>cinq cent soixante-douze</u> **(d)** ans, <u>cent quatre-vingts-quatorze</u> **(e)** jours, douze heures, quarante-trois minutes, neuf secondes et huit dixièmes de seconde.»

Jules Verne, *Maître Zacharius*, 1854.

10 **Lequel des pronoms en gras ne fait pas référence au nom «denrées»?**

«Or, quand ces denrées appartiennent aux Arabes, nous **les leur** prenons sous une foule de prétextes; puis, quand **elles** sont à nous, les Arabes s'efforcent de **les** reprendre.»

Honoré de Balzac, *La cousine Bette*, 1848.

a) les (l. 1)

b) leur

c) elles

d) les (l. 2)

11 Laquelle des phrases suivantes contient un « quel » mal accordé ?

a) Et avez-vous remarqué quelles surhumaines délices apportent ces bonnes fortunes du rêve ! (G. de Maupassant)

b) Quel style ! quelle tournure ! Il avait l'air de François Ier ! Quel volcan ! et quelle habileté, quel génie il déployait pour trouver de l'argent ! (H. de Balzac)

c) Quel dot, quelles dignités, quels honneurs, peuvent égaler pour un père de famille les vertus d'une épouse ? (J.-H. Bernardin de Saint-Pierre)

d) Puis j'expliquerai par quel enchaînement d'idées, quelles précautions psychologiques et quels moyens mnémotechniques, je suis arrivé infailliblement à des conclusions métempsycosistes. (G. de Maupassant)

12 Trouvez dans quelle phrase le mot « demi » est mal orthographié ou comporte une erreur de trait d'union.

a) J'aurai l'honneur de venir vous chercher dans une demie-heure. (V. Hugo)

b) Sept heures et demie sonnaient lorsque l'huissier s'est présenté au seuil de mon cachot. (V. Hugo)

c) Montès écouta d'un air à demi rêveur, à demi souriant, qui parut terrible à tout le monde. (H. de Balzac)

d) Nous nous sommes regardés quelques secondes fixement, l'homme et moi ; lui, prolongeant son rire qui ressemblait à un râle ; moi, demi-étonné, demi-effrayé. (V. Hugo)

13 Choisissez, parmi les réponses suggérées, celle où les adjectifs en gras sont correctement orthographiés.

« **Brun** de teint, les cheveux noirs et durs, les sourcils très fournis, les yeux ardents et **encadré** dans des orbites déjà **charbonné**, la figure arquée comme un premier quartier de lune et **dominé** par un front proéminent, elle offrait la caricature de sa mère, l'une des plus belles femmes du Portugal. »

Honoré de Balzac, *Splendeurs et misères des courtisanes*, 1844.

a) brun, encadré, charbonnées, dominé

b) brun, encadrés, charbonnés, dominée

c) brune, encadrés, charbonnées, dominée

d) brune, encadré, charbonnés, dominé

14 Choisissez, parmi les réponses suggérées, celle où les adjectifs en gras sont correctement orthographiés.

«Elle attendait son Lucien **couché** sur un divan de satin blanc broché de fleurs jaunes, **vêtu** d'un délicieux peignoir en mousseline des Indes, à nœuds de rubans couleur cerise, sans corset, les cheveux simplement **attaché** sur sa tête, les pieds dans de jolies pantoufles de velours **doublé** de satin cerise, toutes les bougies allumées et le houka prêt.»

Honoré de Balzac, *Splendeurs et misères des courtisanes*, 1844.

a) couché, vêtue, attachés, doublées

b) couché, vêtu, attachée, doublées

c) couchée, vêtue, attachées, doublé

d) couchée, vêtue, attachés, doublées

15 Lequel de ces participes passés en gras ne doit pas se mettre au féminin?

«Elle s'est **interrogé** sur cette résolution prise. [...]

Elle s'est **confessé** que tout ce qu'elle venait d'arranger dans son esprit était monstrueux. [...]

Elle s'est **regardé** dans le petit miroir. [...]

Hélas! toutes ses irrésolutions l'avaient **repris**. Elle n'était pas plus **avancé** qu'au commencement.»

Adapté de Victor Hugo, *Les misérables*, 1862.

a) interrogé

b) confessé

c) regardé

d) repris

e) avancé

MODULE 4

Réfléchissons sur le texte

« Les rêveries de Julien »

Le verbe

Un jour, Julien s'embarquera [**V pronominal / V en *-er* futur simple**] pour les vieux pays ayant fait [**V en *-re* forme composée Aux. PP**] provision de merveilles, dans une chambre fermée.

Il lui arrive [**V impersonnel / V en *-er* présent de l'ind.**] d'entraîner Aline jusqu'aux Foulons et de regarder [**V en *-er* infinitif présent**] le fleuve immense, jusqu'à la côte Lévis. Bientôt, il s'amuse à jouer à la Seine. Il tente de mettre à l'échelle de son désir le Saint-Laurent [...]. Il contemple l'eau et les vagues à travers un petit rond, entre son pouce et son index. Je crois [**V en *-re* présent de l'ind.**] ce que je veux [**V en *-oir* présent de l'ind.**] croire, se répète-t [**lettre euphonique**]-il. Voici la Seine entre mes doigts qui coule et se retourne au soleil. D'un moment à l'autre, Baudelaire peut surgir [**V en *-ir* (*-issant*) infinitif présent**], sur la berge pierreuse, avec ses cheveux verts et son haut-de-forme sur l'oreille.

Aline touche l'épaule de Julien comme un enfant qu'il s'agirait [**V pronominal / impersonnel V en *-ir* (*-issant*) / cond. présent**] de réveiller doucement, sans trop le secouer ni l'effrayer :

— Viens [**V en *-ir* (*-ant*) impératif présent**] vite. Il faut rentrer, maintenant.

Adapté d'Anne Hébert, *L'enfant chargé de songes*,
© Éditions du Seuil, 1992, p. 136.

TABLEAUX synthèses

LE VERBE

4.1 LES DIFFÉRENTES SORTES DE VERBES

1. Parmi les verbes attributifs, on peut distinguer: *être, sembler, paraître, demeurer, rester, devenir, avoir l'air, passer pour, se faire, se rendre,* etc.	*Cette fois, il semblait très content.*
2. Parmi les verbes non attributifs, on peut distinguer:	
• les verbes transitifs directs et indirects, qui ont un complément direct ou indirect (ce dernier est appelé aussi complément prépositionnel);	• *J'ai* ***la solution.*** *Je manquerais* ***à mes devoirs.***
• les verbes intransitifs, qui n'ont aucun complément;	• *La mère meurt.*
• les verbes impersonnels; ce sont des verbes intransitifs qui ne se conjuguent qu'à la troisième personne du singulier avec le pronom impersonnel *il*;	• ***Il*** *faut faire attention.*
• les verbes pronominaux, précédés d'un pronom personnel qui représente la même personne que le sujet.	• *Il* ***se*** *regarda dans le miroir.*

4.2 LES FORMES DU VERBE

1. La forme simple du verbe est constituée par le radical et la terminaison. Le radical exprime le sens du verbe, alors que la terminaison donne sa personne, son nombre, son temps et son mode.	**radical terminaison** *Je ne connai–s pas cet homme.*
2. La forme composée du verbe est constituée du verbe *avoir* ou *être*, qui est alors appelé «auxiliaire», et du participe passé du verbe.	**Aux. PP** *Cela me soulage. Cela m'a soulagé.*
Note: Dans la phrase de forme passive, le groupe verbal est formé du verbe *être* suivi du participe passé du verbe de la phrase active correspondante. Le verbe *être* est au même mode et au même temps que le verbe de la phrase active correspondante.	*Son masque était vu par les hommes.* (phrase active correspondante: *Les hommes voyaient son masque.*)

4.3 LES GROUPES DE VERBES

D'après leur terminaison à l'infinitif, on distingue:	
• les verbes du premier groupe (infinitif en –*er*);	• *empêcher, prêter,* etc.
• les verbes du deuxième groupe (infinitif en –*ir* avec participe présent en –*issant*);	• *bondir (bondissant),* etc.
• les verbes du troisième groupe (infinitif en –*ir* avec participe présent en –*ant*, infinitifs en –*oir* et en –*re*), qui sont pour la plupart irréguliers.	• *convenir (convenant), devoir, savoir, remettre, battre, rendre,* etc.

4.4 L'INDICATIF OU LE MODE DU RÉEL PRÉSENT, PASSÉ OU FUTUR

Terminaisons des temps simples des verbes en –*er* (premier groupe)			
Présent	**Imparfait**	**Passé simple**	**Futur simple**
–e, –es, –e, –ons, –ez, –ent	–ais, –ais, –ait, –ions, –iez, –aient	–ai, –as, –a, –âmes, –âtes, –èrent	–erai, –eras, –era, –erons, –erez, –eront
Terminaisons des temps simples des verbes en –*ir*, participe présent –*issant* (deuxième groupe)			
Présent	**Imparfait**	**Passé simple**	**Futur simple**
–is, –is, –it, –issons, –issez, –issent	–issais, –issais, –issait, –issions, –issiez, –issaient	–is, –is, –it, –îmes, –îtes, –irent	–irai, –iras, –ira, –irons, –irez, –iront
Terminaisons des temps simples des verbes en –*ir*, –*oir*, –*re* (troisième groupe)			
Présent	**Imparfait**	**Passé simple**	**Futur simple**
–s/–x, –s/–x, –d/–t, –ons, –ez, –ent	–ais, –ais, –ait, –ions, –iez, –aient	–is/–us, –is/–us, –it/–ut, –îmes/–ûmes, –îtes/–ûtes, –irent/–urent	–rai, –ras, –ra, –rons, –rez, –ront

4.5 LE CONDITIONNEL OU LE MODE DE L'ÉVENTUEL (QUI PEUT ARRIVER)

Terminaisons des verbes en –*er* (premier groupe)	**Terminaisons des verbes en –*ir*, participe présent –*issant* (deuxième groupe)**	**Terminaisons des verbes en –*ir*, –*oir*, –*re* (troisième groupe)**
Présent	**Présent**	**Présent**
–erais, –erais, –erait, –erions, –eriez, –eraient	–irais, –irais, –irait, –irions, –iriez, –iraient	–rais, –rais, –rait, –rions, –riez, –raient

4.6 LE SUBJONCTIF OU LE MODE DU DOUTE OU DE LA VOLONTÉ

Terminaisons des verbes en *–er* (premier groupe)		Terminaisons des verbes en *–ir*, participe présent *–issant* (deuxième groupe)		Terminaisons des verbes en *–ir*, *–oir*, *–re* (troisième groupe)	
Présent	**Imparfait**	**Présent**	**Imparfait**	**Présent**	**Imparfait**
–e	–asse	–isse	–isse	–e	–isse/–usse
–es	–asses	–isses	–isses	–es	–isses/–usses
–e	–ât	–isse	–ît	–e	–ît/–ût
–ions	–assions	–issions	–issions	–ions	–issions/–ussions
–iez	–assiez	–issiez	–issiez	–iez	–issiez/–ussiez
–ent	–assent	–issent	–issent	–ent	–issent/–ussent

4.7 L'IMPÉRATIF OU LE MODE DE L'ORDRE OU DE LA DÉFENSE

Terminaisons des verbes en *–er* (premier groupe)	Terminaisons des verbes en *–ir*, participe présent *–issant* (deuxième groupe)	Terminaisons des verbes en *–ir*, *–oir*, *–re* (troisième groupe)
Présent	**Présent**	**Présent**
–e, –ons, –ez	–is, –issons, –issez	–s/–e, –ons, –ez

4.8 LE PARTICIPE

Terminaisons des verbes en *–er* (premier groupe)		Terminaisons des verbes en *–ir*, participe présent *–issant* (deuxième groupe)		Terminaisons des verbes en *–ir*, *–oir*, *–re* (troisième groupe)	
Présent	**Passé**	**Présent**	**Passé**	**Présent**	**Passé**
–ant	–é	–issant	–i	–ant	–i (–is, –it)/ –u (–us)/–t/–s

4.9 L'INFINITIF OU LA FORME NOMINALE DU VERBE

Terminaison des verbes en *–er* (premier groupe)	Terminaison des verbes en *–ir*, participe présent *–issant* (deuxième groupe)	Terminaisons des verbes en *–ir*, *–oir*, *–re* (troisième groupe)
Présent	**Présent**	**Présent**
–er	–ir	–ir, –oir, –re

4.10 LES PARTICULARITÉS DES VERBES

Les particularités des verbes en –*er*	
1. Les verbes en –*cer* prennent une cédille sous le *c* devant *a* et *o*.	*il annonça; nous annonçons*
2. Les verbes en –*ger* prennent un *e* après le *g* devant *a* et *o*.	*Il ne songea pas à fermer la porte.* *nous songeons*
3. Les verbes en –*guer* gardent le *u* du radical dans toute la conjugaison, même devant *a* et *o*.	*je divulgue; nous divulguons* *il divulgua; nous divulguions*
4. Les verbes en –*yer* changent l'*y* du radical en *i* devant un *e* muet. Les verbes en –*ayer* peuvent conserver l'*y* devant un *e* muet. Les verbes en –*eyer* conservent toujours l'*y*.	*il essuie* (essuyer) *il envoie* (envoyer) *je paie* ou *je paye* *je grasseye*
5. Les verbes en –*eler* et –*eter* doublent la consonne *l* ou *t* finale du radical devant un *e* muet, sauf *celer, ciseler, congeler, déceler, démanteler, écarteler, geler, marteler, modeler, peler, acheter, corseter, crocheter, fureter, haleter, racheter* qui prennent un accent grave au lieu de doubler la consonne.	*je renouvelle; j'empaquette* *j'étiquette* *je décèle*
6. Les verbes dont l'avant-dernière syllabe contient un *e* muet changent cet *e* muet en *è* (« e » ouvert) devant une syllabe muette, finale ou non finale. Les verbes dont l'avant-dernière syllabe contient un *é* (« e » fermé) changent cet *é* en *è* (« e » ouvert) devant une syllabe muette finale. Au futur simple et au conditionnel, ces verbes conservent le *é* (« e » fermé) devant la syllabe muette qui n'est pas finale.	*je mène; je mènerai* (mener) *je cède* (céder) *je céderai*
Les particularités des verbes en –*ir*	
1. Le verbe *haïr* perd le tréma aux trois personnes du singulier du présent de l'indicatif et à la deuxième personne du singulier du présent de l'impératif.	*je hais; hais; nous haïssons*
2. Les verbes *mentir, partir, sentir, sortir, se repentir* perdent le *t* à la première et à la deuxième personne du singulier du présent de l'indicatif et à la deuxième personne du singulier du présent de l'impératif.	*je sors; je me repens; pars*

4.10 LES PARTICULARITÉS DES VERBES (suite)

Les particularités des verbes en –*ir* (suite)	
3. Les verbes *acquérir, courir* et *mourir* prennent deux *r* au futur simple et au présent du conditionnel.	*il cou**rr**a; nous mou**rr**ions*
Les particularités des verbes en –*oir*	
1. Les verbes *voir* et *pouvoir* prennent deux *r* au futur simple et au présent du conditionnel.	*je ve**rr**ai; nous pou**rr**ions*
2. Les verbes *pouvoir, vouloir* et *valoir* prennent un *x* à la première et à la deuxième personne du singulier du présent de l'indicatif.	*je peu**x**; je veu**x**; tu vau**x***
3. Les verbes *devoir* et *mouvoir* prennent un accent circonflexe sur le *u* au participe passé masculin singulier.	***dû**; **mû*** *les loyers dus*
Les particularités des verbes en –*re*	
1. Les verbes en –*dre* gardent le *d* aux trois premières personnes du singulier du présent de l'indicatif et à la deuxième personne du singulier du présent de l'impératif.	*j'appren**ds**; il appren**d**; pren**ds***
2. Les verbes en –*indre* et en –*soudre* perdent le *d* aux trois personnes du singulier du présent de l'indicatif et à la deuxième personne du singulier du présent de l'impératif.	*j'éteins; il dissout; plains-toi du temps*
3. Les verbes en –*tre* perdent un *t* aux trois personnes du singulier du présent de l'indicatif et à la deuxième personne du singulier du présent de l'impératif. Les verbes en –*tre* avec un seul *t* le conservent à la troisième personne du singulier du présent de l'indicatif.	*je débats* (débattre) *il omet* (omettre) *il transparaît* (transparaître)
4. Les verbes en –*aître* et en –*oître* gardent l'accent circonflexe sur le *i* chaque fois qu'il est suivi d'un *t*. Toutefois, le verbe *croître* garde l'accent circonflexe chaque fois qu'on peut le confondre avec le verbe *croire*.	*il naît; il décroît* *je crois* (croire); *je croîs* (croître)
5. Les verbes *plaire, complaire* et *déplaire* prennent un accent circonflexe sur le *i* à la troisième personne du singulier du présent de l'indicatif.	*il plaît; il déplaît*

4.10 LES PARTICULARITÉS DES VERBES (suite)

Les particularités des verbes en *–re* (suite)

6. Les verbes *dire* et *redire* se terminent en *–tes* à la deuxième personne du pluriel du présent de l'indicatif et de l'impératif. Mais on dira : *vous contredisez, interdisez, prédisez, médisez.*	*vous dites ; redites*
7. Les verbes *vaincre* et *convaincre* :	
• ne prennent pas le *t* final à la troisième personne du singulier du présent de l'indicatif ;	• *il vain**c** ; il convain**c***
• changent le *c* en *qu* devant une voyelle (sauf devant le *u*).	• *vous vain**qu**iez* *il a vaincu*

4.11 L'EMPLOI DE L'INDICATIF ET DU SUBJONCTIF

1. Après les verbes d'opinion (*savoir, penser, affirmer, croire, dire, annoncer,* etc.), on emploie l'indicatif.	*Il **affirme** qu'il accomplira bientôt ce travail.*
2. Après les verbes de sentiment, de doute et de volonté (*vouloir, exiger, ordonner, souhaiter, désirer, s'étonner, craindre, falloir,* etc.), on emploie le subjonctif.	*Il **faudra** que tout un pays périsse !*
3. Dans une phrase syntaxique employée seule, le subjonctif exprime l'ordre, le souhait, la supposition, l'indignation, etc.	*Puisses-tu réussir cet examen !*
4. Dans une subordonnée circonstancielle de but ou d'opposition, on emploie le subjonctif.	*Et quoi qu'il fît, il retombait toujours sur ce poignant dilemme.*
5. Dans les subordonnées circonstancielles de cause et de conséquence, on emploie généralement l'indicatif.	*Rodrigue me coula alors [...] un regard d'une telle malveillance qu'il me parut sur le coup dégrisé.*
6. Dans une subordonnée circonstancielle de temps introduite par *avant que, en attendant que* ou *jusqu'à ce que*, on emploie le subjonctif ; avec les autres conjonctions, on utilise l'indicatif.	*Ils déménagèrent **avant que** le père ne soit rentré.* ***Après qu'**il eut terminé sa journée de travail, il se rendit à l'opéra.*
7. Après une phrase syntaxique négative ou interrogative, on emploie :	
• le subjonctif si le fait est incertain ou envisagé ;	• *Pensez-vous qu'il vienne ?*
• l'indicatif si le fait est certain ou réel.	• *Pensez-vous qu'il viendra ?*

4.12 L'EMPLOI DES LETTRES EUPHONIQUES

1. Le *t* euphonique est employé après les formes verbales qui se terminent par *–a*, *–e* ou *–c* lorsqu'elles sont suivies des pronoms *il*, *elle* ou *on*.	*viendra-**t**-il*; *dira-**t**-on*; *étudie-**t**-elle*; *ce récit vous convainc-**t**-il ?*
2. Le *s* euphonique est ajouté au verbe *va* et aux verbes qui se terminent par *–e* devant les pronoms *en* et *y*.	*vas-y*; *offres-en*; *retournes-y*

EXERCICES de grammaire

1 Relevez tous les verbes conjugués des phrases suivantes, puis reportez-les dans le tableau ci-dessous, en indiquant l'infinitif, la forme («S» pour simple, «C» pour composée), le mode et le temps de chacun d'eux.

a) Figure-toi que j'ai une poitrine de papier mâché maintenant; je tousse six mois sur douze, à la suite d'une bronchite que j'ai attrapée à Bougival, l'année de mon retour à Paris, voici quatre ans, maintenant. (G. de Maupassant)

b) Aussi je t'ai dit hier: Vous m'oublierez; vous me trahirez; celui qui vous amuse vous ennuiera. — Et j'ajoute aujourd'hui: celui-là seul souffrira qui comme un imbécile prend au sérieux les choses de l'âme. (C. Baudelaire)

c) Entre la veuve d'une année
Et la veuve d'une journée
La différence est grande; on ne croirait jamais
Que ce fût la même personne. (J. de La Fontaine)

d) Cette nuit-là pourtant, je ne courus aucun danger; mais j'aimerais mieux recommencer toutes les heures où j'ai affronté les plus terribles périls, que la seule minute du coup de fusil sur la tête barbue du judas. (G. de Maupassant)

e) Je vous préviens aussi que si vous faites à l'avenir la moindre tentative pour entretenir ma fille dans l'égarement où vous l'avez plongée, une retraite austère et éternelle la soustraira à vos poursuites. C'est à vous de voir, Monsieur, si vous craindrez aussi peu de causer son infortune, que vous avez peu craint de tenter son déshonneur. (P. Choderlos de Laclos)

Verbe	Verbe à l'infinitif	Forme	Mode	Temps

Verbe	Verbe à l'infinitif	Forme	Mode	Temps

2 **Mettez les verbes entre parenthèses au présent de l'indicatif en prenant bien soin de les accorder avec le noyau de leur GNs.**

a) Je m'en vais déjeuner et papa (s'apercevoir) ____________________ tout de suite de ma colère. Puis je (revenir) ____________________ très tôt à l'école et j'(attendre) ____________________.

b) Pendant que tout le monde le regarde, il (éteindre) ____________________ la lampe.

c) Elle nous (répondre) ____________________ « Bonjour » d'un air préoccupé.

d) Je la (reconduire) ____________________ au bout de la rue.

e) Pendant que papa lui expose son projet, elle (paraître) ____________________ l'approuver, mais je (sentir) ____________________ une vague inquiétude de ne pas voir ses yeux pendant qu'elle parle.

f) Mademoiselle Sergent (interrompre) ____________________ enfin son dialogue avec le délégué.

g) Les petites mares gelées (geindre) ____________________ musicalement sous le soleil, avec le joli son, pareil à nul autre, de la glace qui (se fendre) ____________________ .

h) Nous disons posément : « Bonjour Monsieur », en maîtrisant une envie de rire qui nous (tordre) ____________________ .

i) Une douzaine de fois, il (entendre) ____________________ le pas d'un espion.

j) Anaïs (se mordre) ____________________ les lèvres pour les rendre rouges et Marie (resserrer) ____________________ sa ceinture d'un cran ; les sœurs Jaubert (joindre) ____________________ les mains.

k) Rien ne me coupe la voix comme de chanter devant des gens que je ne (connaître) __________________ pas ; aussi, c'est avec une voix ridiculement tremblante qui, Dieu merci, (se raffermir) __________________ que j'(entreprendre) __________________ le morceau.

l) J'(admettre) __________________ que Madame Roget est une vieille femme têtue.

m) À la fin cependant, après de longues et fréquentes pauses pleines d'une profonde angoisse, il (atteindre) __________________ les bords de la rivière.

n) Les démolisseurs de la vieille école (paraître) __________________ dans les cours de récréation.

Adapté de phrases diverses extraites
de Colette, *Claudine à l'école*, 1900.

3 Mettez les verbes en *–er* au présent, à l'imparfait et au futur simple de l'indicatif.

a) Je (s'appeler) Neurasthénique. (R. Ducharme)

____

b) Le journal (suggérer) une certaine apathie du côté des parents et des amis de la victime. (E. A. Poe)

____

c) Mademoiselle Sergent (étinceler). (Colette)

____

d) Quels sont donc les faits sur lesquels M. Beauvais (s'appuyer) pour dire qu'il ne doute pas que le corps soit celui de Marie Roget ? (E. A. Poe)

____

e) Cette émotion (peser) de plus en plus sur son cœur, comme un poids trop lourd. (É. Zola)

____

f) Chamomor (flatter) son chat à rebrousse-poil et il (jeter) des étincelles. (R. Ducharme)

g) Les hautes glaces, derrière elles, (refléter) leurs dos et les visages des passants. (G. de Maupassant)

h) Il (nettoyer) les bougies de ma glande thyroïde. (R. Ducharme)

i) À présent, il (longer) la grande avenue. Ses pieds (s'enfoncer) dans les feuilles mortes comme dans une eau bruyante. (J. Green)

j) Mais heureusement, Pivoine me (céder) la place, très gentiment. (M.-C. Blais)

k) Ils (distinguer) les joncs de la rive, la dentelle des ombrages noire sur le scintillement des étoiles. (É. Zola)

l) Nous (manger) tranquillement, sans dire un mot, comme des vaches. (R. Ducharme)

m) Ils (achever) le tour des comptoirs de l'entresol. (É. Zola)

n) Elle (acheter) directement et sous sa responsabilité; mais, pour les achats importants, elle (préférer) consulter la direction. (É. Zola)

4 **Dans les phrases suivantes, mettez la terminaison qui convient au singulier du présent de l'impératif.**

a) Tu n'écoutes pas, Bérénice Einberg! Ah! Ah! Ah! Ah! Appren____-moi la *Romance du vin* par cœur. (R. Ducharme)

b) Que diras-tu, mon père, à ce spectacle horrible? [...]

Pardonn____ ! Un dieu cruel a perdu ta famille:

Reconn____ sa vengeance aux fureurs de sa fille. (J. Racine)

c) Respect____ ces tendres penchants, mon aimable ami; tu leur **dois** trop pour les **haïr**; mais souffr____-en le cher et doux partage; souffr____ que les droits du sang et de l'amitié ne soient pas éteints par ceux de l'amour. (J.-J. Rousseau)

5 **Conjuguez le verbe «haïr» (en gras dans la phrase *c)* ci-dessus) à toutes les personnes du présent, du futur simple, du passé composé de l'indicatif ainsi que du présent de l'impératif.**

Présent: ____________________

Futur simple: ____________________

Passé composé: ____________________

Impératif présent: ____________________

6 **Conjuguez le verbe «devoir» (en gras dans la phrase *c)* ci-dessus) à toutes les personnes du présent, de l'imparfait, du futur simple et du passé composé de l'indicatif ainsi que du présent du conditionnel.**

Présent: ____________________

Imparfait: ____________________

Futur simple: ____________________

Passé composé: ____________________

Conditionnel présent: ____________________

7 **Conjuguez les verbes soulignés aux premières personnes du singulier et du pluriel au présent, à l'imparfait et au futur simple de l'indicatif.**

«Mais, quand d'un passé ancien rien ne subsiste, après la mort des êtres, après la destruction des choses, seules, plus frêles mais plus vivaces, plus immatérielles, plus persistantes, plus fidèles, l'odeur et la saveur restent encore longtemps, comme des âmes, à se rappeler, à attendre, à espérer, sur la ruine de tout le reste, à porter sans fléchir, sur leur gouttelette presque impalpable, l'édifice immense du souvenir.»

Marcel Proust, *Du côté de chez Swann*, 1913.

Verbe	Indicatif présent	Indicatif imparfait	Indicatif futur simple
Subsiste	Je Nous		
Restent	Je Nous		
Rappeler	Je Nous		
Attendre	Je Nous		

Verbe	Indicatif présent	Indicatif imparfait	Indicatif futur simple
Espérer	Je Nous		
Fléchir	Je Nous		

8 **Dans le texte de l'exercice 7 :**

1) repérez un verbe attributif :

____

2) encadrez tous les adjectifs et précisez, par une flèche, quel noyau de GN chacun d'eux complète.

9 **Dans cet extrait, complétez correctement les verbes au présent de l'indicatif, puis justifiez la terminaison en écrivant l'infinitif du verbe dans les parenthèses.**

« L'ouvrier, le prolétaire, l'homme qui remu____ (__________________) ses pieds, ses mains, sa langue, son dos, son seul bras, ses cinq doigts pour vivre ; eh ! bien, celui-là qui, le premier, devrait économiser le principe de sa vie, il outrepass____ (______________________) ses forces, attel____ (____________________) sa femme à quelque machine, us____ (_____________________) son enfant et le clou____ (__________________) à un rouage. Le fabricant qui, de ses mains sales, tourn____ (_________________) et dor____ (_________________) les porcelaines, cou____ (______________) les habits et les robes, aminc____ (______________________) le fer, amenuis____ (________________________) le bois, tiss____ (_________________) l'acier, solidifi____ (____________________________) le chanvre et le fil, satin____ (________________) les bronzes, festonn____ (______________________) le cristal, imit____ (________________) les fleurs, brod____ (________________) la laine, dress____ (_______________) les chevaux, tress____ (_______________) les harnais et les galons, découp____ (________________) le cuivre, pein____ (_____________) les voitures, arrondi____ (_______________) les vieux ormeaux, vaporis____ (________________) le coton, souffl____ (______________) les tulles, corrod____ (______________) le diamant, poli____ (______________) les métaux, transforme en feuilles le marbre, lèche les cailloux, toilette la pensée, colore, blanchi____ (_______________) et noirci____ (_______________) tout; eh! bien, ce sous-chef est venu promettre à ce monde de sueur et de volonté, d'étude et de patience, un salaire excessif, soit au nom de caprices de la ville, soit à la voix du monstre nommé Spéculation.»

Honoré de Balzac, *La fille aux yeux d'or*, 1835.

10 Huit fautes se sont glissées dans ce texte de Buffon sur le comportement du chat. Corrigez-les.

«Le chat est aussi très porté à l'amour; et, ce qui est rare chez les animaux, la femelle parait être plus ardente que le mâle: elle l'invite, elle le cherche, elle l'appele; elle annonce par de hauts cris la fureur de ses désirs, ou plutôt l'excès de ses besoins; et lorsque le mâle l'a fuit ou l'a dédaigne, elle le poursuit, le mort, et le force pour ainsi dire a la satisfaire, quoique les approches soit toujours accompagné d'une vive douleur.»

Adapté de Buffon, *Histoire naturelle*, 1744-1804.

11 Dans le texte qui suit, remplissez les espaces vides à l'aide des verbes ci-dessous.

(a) apparaître (présent de l'indicatif)	**(h)** teindre (présent de l'indicatif)
(b) poindre (présent de l'indicatif)	**(i)** mêler (passé composé)
(c) répandre (présent de l'indicatif)	**(j)** unir (passé composé)
(d) animer (présent de l'indicatif)	**(k)** résonner (passé composé)
(e) déployer (présent de l'indicatif)	**(l)** éclater (passé composé)
(f) caresser (passé composé)	**(m)** inonder (passé composé)
(g) plaquer (passé composé)	**(n)** étaler (passé composé)

« Le soleil **(a)** ______________________ d'abord et verse ses rayons sur les cimes, puis de là dans les vallées. De même, l'accord **(b)** ______________________ sur la première corde des premiers violons avec une douceur boréale, il se **(c)** ______________________ dans l'orchestre, il y **(d)** ______________________ un à un tous les instruments, il s'y **(e)** ______________________ . [...] Ce joli, ce gai mouvement presque lumineux qui vous **(f)** ______________________ l'âme, l'habile musicien l'**(g)** ______________________ d'accords de basse par une fanfare indécise des cors contenus dans leurs notes les plus sourdes, afin de vous bien peindre les dernières ombres fraîches qui **(h)** ______________________ les vallées pendant que les premiers feux se jouent dans les cimes. Puis les instruments à vent s'y **(i)** ______________________ doucement en renforçant l'accord général. Les voix s'y **(j)** ______________________ par des soupirs d'allégresse et d'étonnement. Enfin les cuivres **(k)** ______________________ bruyamment, les trompettes **(l)** ______________________ ! La lumière, source d'harmonie, **(m)** ______________________ la nature, toutes les richesses musicales se **(n)** ______________________ avec une violence, avec un éclat pareils à ceux des rayons du soleil oriental. »

Adapté d'Honoré de Balzac, *Massimilla Doni*, 1839.

12 Mettez les verbes entre parenthèses au présent du subjonctif en prenant bien soin de les accorder avec le noyau du GNs.

a) Il faut que tu (prouver) ____________________ que tu es bon à quelque chose, et pour cela que tu (fouiller) ____________________ le mannequin. (V. Hugo)

b) Il est d'usage que nous ne (pendre) ____________________ pas un homme sans demander s'il y a une femme qui en veut. Camarade, c'est ta dernière ressource. Il faut que tu (épouser) ____________________ une truande ou la corde. (V. Hugo)

c) Voulez-vous que nous (faire) ____________________ votre pape à la mode de mon pays ? Ce sera toujours moins fastidieux que d'écouter ces bavards. Qu'en dites-vous, messieurs les bourgeois ? Il y a ici un suffisamment grotesque échantillon des deux sexes pour qu'on (rire) ____________________ à la flamande, et nous sommes assez de laids visages pour espérer une belle grimace. (V. Hugo)

d) Mais cependant que faut-il que je (faire) ____________________ ?

Comment puis-je sitôt servir votre courroux ?

Quel chemin jusqu'à lui peut conduire mes coups ?

À peine suis-je encore arrivé dans l'Épire,

Vous voulez par mes mains renverser un empire ;

Vous voulez qu'un roi (mourir) ____________________, et pour son châtiment

Vous ne donnez qu'un jour, qu'une heure, qu'un moment. (J. Racine)

13 Les phrases suivantes sont au présent de l'indicatif.

1) Donnez à chacune une tournure interrogative.

2) Mettez-les au subjonctif présent en les commençant par « Il faut que ».

a) L'amour aussi est lisse, hygiénique, routinier.

____ ?

Il faut que ______________________________________ .

b) Mona a vraiment du talent.

____ ?

Il faut que ______________________________________ .

c) Catherine lit devant la cheminée où flambe un feu léger.

____ ?

Il faut que ______________________________________ .

d) Elle prend l'ascenseur, elle essuie ses mains moites.

____ ?

Il faut que ______________________________________ .

e) Je vais essayer d'entrer chez Monnod.

____ ?

Il faut que ______________________________________ .

Adapté de phrases diverses extraites de Simone de Beauvoir, *Les belles images*, 1966.

14 **Conjuguez les verbes des phrases suivantes à la troisième personne du singulier, aux temps simples de l'indicatif et du conditionnel.**

a) Laurence (s'asseoir) et (feindre) de s'absorber dans sa recherche. (S. de Beauvoir)

Indicatif présent: ______________________________

Indicatif imparfait: ______________________________

Indicatif passé simple: ______________________________

Indicatif futur simple: ______________________________

Conditionnel présent: ______________________________

b) Bertine (descendre) bientôt, (balayer) la cuisine, (ranger) chaque chose, (épousseter) partout, (nettoyer) le dessus du poêle. (C.-H. Grignon)

Indicatif présent: ______________________________

____

Indicatif imparfait: ______________________________

____

Indicatif passé simple: ______________________________

____

Indicatif futur simple: ______________________________

____

Conditionnel présent: ______________________________

____

c) Le Parisien (murmurer) de tout, (oublier) tout, (vouloir) tout, (goûter) à tout, (prendre) tout avec passion, (quitter) tout avec insouciance: ses rois, ses conquêtes, sa gloire, son idole, qu'elle soit de bronze ou de verre, comme il (jeter) ses bas, ses chapeaux et sa fortune. (H. de Balzac)

Indicatif présent: ______________________________

____

Indicatif imparfait: ______________________________

____

Indicatif passé simple : ____

____

Indicatif futur simple : ____

____

Conditionnel présent : ____

____

15 Transposez cet extrait au conditionnel.

« Si je disparais, qu'arrive-t-il ? La mère meurt. L'enfant devient ce qu'il peut. Voilà ce qui se passe, si je me dénonce. »

Victor Hugo, *Les misérables*, 1867.

____

____

____

16 Dans ces phrases, conjuguez les verbes entre parenthèses à l'imparfait de l'indicatif ou au temps et au mode spécifiés.

a) À mesure qu'ils (s'approcher) ______________ du sol, les deux jets de plomb liquide (s'élargir) ______________ en gerbes, comme l'eau qui (jaillir, présent de l'indicatif) ______________ des mille trous de l'arrosoir.

b) Alors, suspendu sur l'abîme, lancé dans le balancement formidable de la cloche, il (saisir) ______________ le monstre d'airain aux oreillettes, l'(étreindre) ______________ de ses deux genoux, l'(éperonner) ______________ de ses deux talons. Cependant la tour (vaciller) ______________ ; lui (crier) ______________ et (grincer) ______________ des dents, ses cheveux roux (se hérisser) ______________, sa poitrine (faire) ______________ le bruit d'un souffle de forge, son œil (jeter) ______________ des flammes, la cloche monstrueuse (hennir) ______________ toute haletante sous lui, et alors ce n'(être) ______________ plus ni le bourdon de

Notre-Dame ni Quasimodo, c'était un rêve, un tourbillon, une tempête, un étrange centaure moitié homme, moitié cloche.

c) C'est moi qui en (être, présent de l'indicatif) ________________ l'auteur.

d) Nous (être, présent de l'indicatif) ________________ deux : Jehan Marchand, qui (scier, passé composé) ________________ les planches et dressé la charpente du théâtre et toute la boiserie, et moi qui (faire, passé composé) ________________ la pièce.

e) Allons, (dépêcher, présent de l'impératif) ________________-toi, dit le roi en frappant du pied sur son tonneau qui résonna comme une grosse caisse. (Fouiller, présent de l'impératif) ________________ le mannequin, et que cela (finir, présent du subjonctif) ________________ . Je t'(avertir, présent de l'indicatif) ________________ une dernière fois que si j'(entendre, présent de l'indicatif) ________________ un seul grelot tu (prendre, futur simple) ________________ la place du mannequin.

f) Argotiers et argotières (se ranger) ________________ doucement à son passage, et leurs brutales figures (s'épanouir) ____________________________ à son regard.

g) La jeune fille ne (paraître) ________________ faire aucune attention à lui ; elle (aller) ________________, (venir) ________________, (déranger) ________________ quelque escabelle, (causer) ________________ avec sa chèvre, (faire) ________________ sa moue çà et là. Enfin elle (venir, passé simple) ________________ s'asseoir près de la table, et Gringoire (pouvoir, passé simple) ________________ la considérer à l'aise.

h) Les (prendre) ________________ là qui (vouloir) ________________ .

i) C'est donc encore toi, fille d'Égypte, c'est toi qui m'(appeler, présent de l'indicatif) ________________ voleuse d'enfants !

j) On vous (tuer, présent du conditionnel) ________________ et je (mourir, présent du conditionnel) ________________ .

k) Aucun n'(être) ________________ le capitaine.

l) (Dire, présent de l'impératif) ________________ à celle qui t'(envoyer, présent de l'indicatif) ________________ que je (aller, présent de l'indicatif) ________________ me marier, et qu'elle (aller, présent du subjonctif) ________________ au diable!

m) (Taire, présent de l'impératif) ________________-toi! dit le roi entre deux gorgées de tisane. Tu nous (rompre, présent de l'indicatif) ________________ la tête.

n) Elle (songer, passé simple) ________________ à la beauté de la vie, à la jeunesse, à la vue du ciel, aux aspects de la nature, à l'amour, à Phoebus, à tout ce qui (s'enfuir) ________________ et à tout ce qui (s'approcher) ________________, au prêtre qui la (dénoncer) ________________, au bourreau qui (aller) ________________ venir, au gibet qui (être) ________________ là.

Victor Hugo, *Notre-Dame de Paris*, 1832.

17 Encerclez le verbe bien orthographié dans les parenthèses.

a) Gringoire avait (profiter / profité / profitez / profitai) du trouble de la danseuse pour (s'éclipsé / s'éclipser / s'éclipsai / s'éclipsez). La clameur des enfants lui (rappela / rappella / rapella / rapela) que lui aussi n'avait pas (soupé / souper / soupez / soupai). Il (courrut / courut / courru / couru) donc au buffet. (V. Hugo)

b) Ainsi, reprit le poète un peu désappointé dans ses espérances amoureuses, vous n'avez (eu / eut / eue / eût) d'autre pensée en m'épousant que de me sauver du gibet?

— Et quelle autre pensée veux-tu que j'(aie / est / es) (eue / eu / eût / eut)? (V. Hugo)

c) Les gens (on / ont) des étoiles qui ne (son / sont) pas les mêmes. Quand tu regarderas le ciel, la nuit, puisque j'(habiterer / habiterez / habiterai) dans l'une d'elles, puisque je (rirai / rirerai / rierai) dans l'une d'elles, alors ce (sera / serra) pour toi comme si (riraient / rirait / riaient / riait) toutes les étoiles. Tu auras, toi, des étoiles qui (savent / sachent) rire ! (A. de Saint-Exupéry)

d) La vieille en (fût / fut) à la fois inquiète et (réjouit / réjoui / réjouie / réjouite) ; elle engagea sa fille à n'en point parler, disant que si on (venaient / venait) à savoir le miracle qui se (fesait / faisait) chez elle, on la (tienderait / tiendrait / tienderaient / tiendraient) pour sorcière. La petite Marie comprenait mieux la vérité, mais elle n'osait en parler à Germain, de peur de le voir revenir à son idée de mariage, et elle (feingnait / feignait) avec lui de ne (s'apercevoir / s'appercevoir) de rien. (G. Sand)

e) (Es / Est)-ce une raison, parce que tu nous (a / as / à) (ennuyer / ennuyé / ennuyés) ce matin, pour ne pas être (pendu / pendus) ce soir ? (V. Hugo)

f) La voix lamentable qui était (sortit / sorti / sortie) de la cage avait (glacé / glacée) tous les assistants, maître Olivier lui-même. Le roi seul avait l'air de ne pas l'avoir (entendut / entendu / entendue). (V. Hugo)

g) J'(allais / alais) continuer, mais Julie, qui, me voyant approcher du bord, s'était (effrayer / effrayé / effrayée) et m'(avais / avait) (saisit / saisi / saisie) la main, la serra sans mot dire en me regardant avec tendresse. (J.-J. Rousseau)

EXERCICES de renforcement

1 Dans ces phrases, conjuguez chacun des verbes soulignés aux trois personnes du présent de l'impératif.

a) Chaque matin, il <u>allait</u> <u>voir</u> la correspondance qui, depuis deux ans, <u>grandissait</u> de jour en jour.

____

____

____

b) Elle <u>répondit</u> non, d'un signe de la tête.

____

c) Alors, Mme Bourdelais <u>se mit</u> à <u>rire</u>.

____

____

d) Ainsi, pour cette mise en vente, après les sommes considérables payées aux maçons, le capital entier <u>se trouvait</u> dehors : une fois de plus il s'agissait de <u>vaincre</u> ou de <u>mourir</u>.

____

____

____

Émile Zola, *Au bonheur des dames*, 1883.

2 Dans les phrases suivantes, mettez les verbes entre parenthèses :

1) au présent de l'indicatif ;

Rien ne lui (peser) ____________ ! Cet homme (aller) ____________ toujours droit devant lui, (prendre) ____________ son patriotisme tout fait dans le journal, ne (contredire) ____________ personne, (crier) ____________ ou (applaudir) ____________ avec tout le monde, et (vivre) ____________ en hirondelle. (H. de Balzac)

2) à l'imparfait de l'indicatif;

a) Tantôt nous (marcher) ____________________ en silence, prêtant l'oreille au sourd mugissement de l'automne, ou au bruit des feuilles séchées, que nous (traîner) ____________________ tristement sous nos pas; tantôt, dans nos jeux innocents, nous (poursuivre) ____________________ l'hirondelle dans la prairie, l'arc-en-ciel sur les collines pluvieuses. (F. R. de Chateaubriand)

b) Après le coup du parapluie, un bon moment plus tard, voici que je me suis fâchée contre maman, et lui ai dit qu'elle nous (faire) ____________________ mal voir à la fin, et que, si toutes deux (rire) ____________________, nous (faire) ____________________ aussi rire de nous. (G. Roy)

3) au passé simple de l'indicatif;

Emma (mettre) __________________ un châle sur ses épaules, (ouvrir) __________________ la fenêtre et (s'accouder) __________________ . Le petit jour (paraître) __________________ . Elle se (déshabiller) ____________________ et se (blottir) ____________________ entre les draps, contre Charles qui dormait. Le lendemain, il y (avoir) __________________ beaucoup de monde au déjeuner. Le repas dura dix minutes; on ne (servir) ____________________ aucune liqueur, ce qui (étonner) ____________________ le médecin. [...] Ils étaient sur les hauteurs de Thibourville, lorsque devant eux, tout à coup, des cavaliers (passer) ____________________ en riant, avec des cigares à la bouche. Emma (croire) ____________________ reconnaître le vicomte; elle se (détourner) ____________________, et n'(apercevoir) ____________________ à l'horizon que le mouvement des têtes s'abaissant et montant, selon la cadence inégale du trot ou du galop. (G. Flaubert)

4) au futur simple de l'indicatif;

Oui... Ils (savoir) ____________________ tout, excepté l'agriculture. Ils (parler) ____________________ l'arabe, mais ils (ignorer) ____________________ comment on repique des betteraves et comment on sème du blé. Les hommes intelligents s'y (faire) ____________________ une place, les autres (succomber) ____________________.

(G. de Maupassant)

5) au présent du conditionnel.

Son cortège, ce que nous (appeler) ____________________ aujourd'hui son état-major, d'évêques et d'abbés, fit irruption à sa suite dans l'estrade, non sans redoublement de tumulte et de curiosité au parterre. C'était à qui se les (montrer) ____________________, se les (nommer) ____________________, à qui en (connaître) ____________________ au moins un. (V. Hugo)

3 Transformez ces ordres donnés à l'aide de l'impératif présent en des demandes plus polies. Pour ce faire, reformulez les phrases au conditionnel présent en utilisant le verbe « pouvoir » ou « vouloir ».

a) Justifie-toi. Décline tes qualités. (V. Hugo)

____

b) Supplie-la de ne pas ouvrir la lettre. (S. de Beauvoir)

____

c) Montre-toi le digne fils d'un père tel que moi. (P. Corneille)

____

d) Comble-moi cette ornière. (J. de La Fontaine)

e) Laissez-moi, ne me voyez plus, ne m'écrivez plus. (P. Choderlos de Laclos)

Erreurs volontaires

4 Dans ce passage s'est glissée une erreur de concordance des temps. Repérez cette erreur, puis expliquez la règle qui justifie votre réponse.

« Il me sembla qu'à partir de ce jour, s'il arriverait encore en retard, encore accablé, parfois même encore triste, peu à peu, au cours de la journée, sur des préoccupations trop graves pour son âge, son âme d'enfant, légère et tendre, prenait le pas, remontait en surface, s'étonnait de jouir d'un moment d'insouciance comme il est normal à dix ans. »

Gabrielle Roy, *Ces enfants de ma vie*, Boréal, 1993, p. 85. © Fonds Gabrielle Roy.

5 Reportez les verbes conjugués à l'imparfait de l'indicatif, au futur simple de l'indicatif et au présent du conditionnel dans la case appropriée du tableau, puis complétez le tableau en écrivant les éléments manquants.

a) Il voulut prendre le pont Saint-Michel; des enfants y couraient çà et là avec des lances à feu et des fusées. (V. Hugo)

b) Quel spectacle pour elle aujourd'hui se dispose!

Elle en mourra, Phoenix, et j'en serai la cause. (J. Racine)

c) Qu'importe le soleil? je n'attends rien des jours.

Quand je pourrais le suivre en sa vaste carrière,

Mes yeux verraient partout le vide et les déserts. (A. de Lamartine)

d) Elle pense : « Dominique le haïra ! » Elle souffrira mais son orgueil la sauvera. Rôle difficile mais beau : la femme qui encaisse avec élégance une rupture. Elle se jettera dans le travail, elle prendra un nouvel amant. (S. de Beauvoir)

Verbe à l'infinitif	Indicatif imparfait	Indicatif futur simple	Conditionnel présent

6 Conjuguez les verbes soulignés au passé composé (pc), au plus-que-parfait (pqp) ou au conditionnel passé première forme (cp1) selon le cas et faites les accords nécessaires.

a) À propos de vos lettres, j'espère que vous garder (pc) (______________________) celles que maman m' prendre (pc) (______________________), et qu'elle vous renvoyer (pc) (____________________); il faudra bien qu'il vienne un temps où je ne serai plus si gênée qu'à présent, et vous me les rendrez toutes. (P. Choderlos de Laclos)

b) Se relevant enfin : « Rentrons, dit-elle, le froid m' saisir (pc) (____________________). J'ai peur de me retrouver mal. » (B. Constant)

c) Mais Françoise se hâtait de rejoindre ma tante, je retournais à mon livre, les domestiques se réinstallaient devant la porte à regarder tomber la poussière et l'émotion qu' soulever (pqp) (____________________) les soldats. (M. Proust)

d) Il m'arrivait d'éveiller l'expression d'un fugitif intérêt sur ce visage à l'air absent, puis il fuir (pqp) (______________) hors de ma portée. Je ne lui donner (pqp) (____________________) de compagnon de pupitre, ayant compris qu'il n'en supporterait aucun. (G. Roy)

e) Mais j' vouloir (cp1) (____________________) que papa me dise où il rencontrer (pqp) (______________________) des gens que leur dénuement comblait. (S. de Beauvoir)

f) À la vue du chien qui nous trouver (pqp) (____________________) dans la forêt, et qui maintenant, bondissant de joie, nous traçait une autre route, je me mis à fondre en larmes. (F. R. de Chateaubriand)

g) Un matin, en effet, des coups de feu claquer (pqp) (____________________) et, comme l'écrivait Tarrou, quelques crachats de plomb tuer (pqp) (________________) la plupart des chats qui quitter (pqp) (____________________) la rue. (A. Camus)

h) Cette vie, qui m'enchanter (pqp) (____________________), ne tarda pas à me devenir insupportable. (F. R. de Chateaubriand)

Récapitulation

1 Corrigez toutes les erreurs contenues dans ce texte.

«Je connaîs mes devoirs. Si je suis a vous en droit, je ne vous appartiens plus en fait. Pouvez-vous désirer que nous devenions la fable de tout Paris? N'instruisons pas le public de cette situation qui pour moi présente un côté ridicule, et sachons garder notre dignité. Vous m'aimez encore, reprit la
5 comtesse en jettant sur le colonel un regard triste et doux; mais moi, n'ai-je pas été autorisé à former d'autres liens? En cette singulière position, une voix secrète me dis d'espérer en votre bonté qui m'aie si connu. Aurais-je donc tort en vous prenant pour seul et unique arbitre de mon sort? Soyai juge et partie. Je me confit à la noblesse de votre caractère. Vous aurez la
10 générosité de me pardonné les résultats de fautes innocentes. Je vous l'avourai donc, j'aime monsieur Ferraud. Je me suis crû en droit de l'aimer. Je ne rougis pas de cet aveu devant vous; s'il vous offense, il ne nous déshonore point. Je ne puis vous cachez les faits. Quand le hasard m'a laissé veuve, je n'étais pas mère.»

Honoré de Balzac, *Le colonel Chabert*, 1832.

2 En vous reportant au texte ci-dessus, répondez aux questions suivantes:

1) Quelle est la classe du mot «fait» (l. 2)? ______________________

2) Dans quel cas les verbes en «aître» gardent-ils l'accent circonflexe?

____

3) Repérez dans le texte trois verbes conjugués à l'impératif présent.

____

4) Conjuguez le verbe «être» aux trois personnes de l'impératif.

____

5) Quel est l'infinitif du verbe «sachons» (l. 4)? ______________________

6) Donnez un mot de la même famille que «déshonorer» (l. 12).

____

7) *a)* Repérez dans le texte trois noms féminins dont la terminaison est «–té».

____

***b)* Pouvez-vous en nommer d'autres?**

____

8) Relevez un verbe en *–ir* (participe présent *–issant*). ______________________

9) *a)* Repérez dans le texte un verbe pronominal conjugué au présent de l'indicatif.

____

***b)* Conjuguez ce verbe au passé composé en faisant l'accord nécessaire.**

____

10) Donnez le mode et le temps des verbes en gras dans ces phrases.

a) **Pouvez**-vous désirer que nous **devenions** la fable de tout Paris?

____

____

b) Mais moi, n'**ai**-je pas **été autorisée** à former d'autres liens?

____

c) **Aurais**-je donc tort?

____

d) Quand le hasard m'**a laissée** veuve, je n'**étais** pas mère.

____

____

Autocorrection

Des erreurs se sont glissées dans les phrases suivantes. Soulignez-les, puis corrigez-les à l'aide du tableau ci-dessous.

a) Oh ! Si je m'évaderais, comme je courrais à travers les champs ! Non, il ne faudrait pas courrir. Cela fait regarder et soupçonner. (V. Hugo)

b) Ce sont ces prairies où, quand le soleil les rends réfléchissantes comme une mare, se dessine les feuilles des pommiers, c'est ce paysage dont parfois, la nuit dans mes rêves, l'individualité m'étreins avec une puissance presque fantastique et que je ne peux plus retrouver au réveil. (M. Proust)

c) Pourquoi vous obstiner à me suivre ? Vos lettres devaient être sages, et vous ne m'y parler que de votre fol amour. Je ne veux plus répondre, je ne vous répondrez plus. Comme vous traitez les femmes que vous avez séduit ! Quelques-unes le méritent ; mais toutes sont-elles si méprisables ? Ah ! Sans doute puisqu'elles ont trahit leurs devoirs pour se livrer à un amour criminel. De quel droit venez-vous troubler ma tranquillité ? Laissez-moi, ne me voyez plus, ne m'écrivez plus, je vous en pris ; je l'exige. (P. Choderlos de Laclos)

Mot correctement orthographié	Justification (particularités des verbes, donneurs d'accord, etc.)

Évaluez VOS CONNAISSANCES

1 Pour chacun des numéros de 1) à 14), dites dans quelle phrase le verbe en gras est mal conjugué.

1) *a)* Et parce qu'elle **meurt**, faut-il que vous **mouriez**? (J. Racine)

b) J'ai promis de **mourrir** au duc qui me sauva. (V. Hugo)

c) Hé bien! je **meurs** content, et mon sort est rempli. (J. Racine)

d) Non, tu ne **mourras** point: je ne le puis souffrir. (J. Racine)

e) Que je **meure**! (V. Hugo)

2) *a)* Cet été, je **ferai** un jardin. (C. DesRochers)

b) Les cris, les rires, le trépignement de ces mille pieds **fesaient** un grand bruit. (V. Hugo)

c) Madame, **faites** plus, et venez-y vous-même. (J. Racine)

d) Cette monstrueuse anecdote a été si bien expliquée en son lieu que je ne **fais** que la rappeler ici.

e) Posséder une image de vous, mon tendre ami, **ferait** toute ma joie dans l'éloignement dans lequel je me trouve.

3) *a)* **Peins**-toi dans ces horreurs Andromaque éperdue. (J. Racine)

b) **Figures**-toi Pyrrhus, les yeux étincelants
Entrant à la lueur de nos palais brûlants. (J. Racine)

c) **Prends**, te dis-je.

d) **Va, cours, vole,** et nous **venge.** (P. Corneille)

e) **Lis** donc ces proses lyriques.

4) *a)* Il **attendra** le temps qu'il faut pour que la déchéance de l'actrice s'accomplisse. (A. Hébert)

b) Jusqu'à leur arrivée, je vous **remetterai** cent sous par jour. (H. de Balzac)

c) Je **commencerai** les poursuites et diligences nécessaires pour vous procurer les pièces dont vous me parlez. (H. de Balzac)

d) Si vous êtes le colonel Chabert, vous **saurez** pardonner la modicité du prêt à un jeune homme qui a sa fortune à faire. (H. de Balzac)

e) Vous **jouerez** tous les rôles de femme et vous **serez** passionnante comme jamais. (A. Hébert)

5) *a)* Elle **tend** le bras vers le vide de l'eau.

b) On maîtrise une envie de rire qui nous **tort**.

c) Je vous **réponds** déjà de son consentement.

d) Ces images de magazine, elle les **confond** avec l'intensité.

e) Je vous **promets** que je le **recouds** ce soir.

6) *a)* Je ne **crainds** pas enfin que Pyrrhus la retienne. (J. Racine)

b) Madame Fontanges, consolez-moi comme une vraie femme qui ne **craint** ni Dieu ni diable. (A. Hébert)

c) Je vous **ceins** du bandeau préparé pour sa tête. (J. Racine)

d) Du moins, ces hommes-là me **plaignent**, ils sont les seuls. (V. Hugo)

e) Laurence **feint** de s'absorber dans sa recherche. (S. de Beauvoir)

7) *a)* Monsieur, c'est une attention dont je vous **remercie**. (H. de Balzac)

b) Madame, je ne vous **maudits** pas, je vous méprise. (H. de Balzac)

c) Je ne crois pas qu'elle se **méfie** de moi: plutôt, il nous manque un langage commun.

d) Tout **finit** par s'arranger; il **suffit** de refaire l'ordre de la chambre, avant même d'ouvrir les yeux.

e) Tout ce spectacle s'**évanouit** comme une fantasmagorie. (V. Hugo)

8) *a)* C'était le mystère qui **commençait**. (V. Hugo)

b) Mademoiselle Sergent nous **reçoit** avec une politesse impassible. (Colette)

c) Tandis que la folle jeune fille de seize ans dansait et **voltigait** au plaisir de tous, sa rêverie à lui semblait devenir de plus en plus sombre. (V. Hugo)

d) Coppenole de sa place **dirigeait** tout, **arrangeait** tout. (V. Hugo)

e) Le vieillard **allégua** le rendez-vous et monta chez ce célèbre légiste qui, malgré sa jeunesse, passait pour être une des plus fortes têtes du Palais. (H. de Balzac)

9) *a)* Moi seul, je **sens** mon cœur et je **connais** les hommes. (J.-J. Rousseau)

b) Puisque le jour ne **paraît** pas encore, que faire de la nuit? (V. Hugo)

c) Les femmes font le diable pour celui qui leur **plaît**. (H. de Balzac)

d) Ils **paraissent** armés, les Mores se confondent. (P. Corneille)

e) Laurence n'a aucune envie de se confier à Marthe; sa petite sœur la **connait** bien. (S. de Beauvoir)

10) *a)* Tu évites les gros emmerdements en te verrouillant le cœur : je n'**appelle** pas ça du bonheur. (S. de Beauvoir)

b) André me **jeta** un regard hésitant où il y avait comme un reproche. (G. Roy)

c) Le premier homme s'**appelait** Louis Hébert et la première femme, Marie Rollet. (A. Hébert)

d) Laurence **jette** les fleurs, éponge l'eau, téléphone au bureau. (S. de Beauvoir)

e) C'est une soirée que je me **rappelerai** toute ma vie. (V. Hugo)

11) *a)* Ce peu de mots, comme le fil qui **romp** le vol de l'insecte, me rejeta violemment dans la réalité. (V. Hugo)

b) Je me **débats**, feignant de rire aussi.

c) Je **ramasse**, **range** et **remets** en place dans l'armoire toutes mes chemises.

d) Je **sors**. Dans un instant un homme viendra ici. (V. Hugo)

e) « Tu **vois** bien que tu **mens**... sale bête. » Et avec un geste rageur, les larmes aux yeux, elle lui échappa. (G. de Maupassant)

12) *a)* Si je ne **vaux** pas mieux, au moins je suis autre. (J.-J. Rousseau)

b) Sous ses paupières fermées, nul ne **pourait** se douter de l'agitation profonde qui la possède. (A. Hébert)

c) Il **vaut** mieux avoir du luxe dans ses sentiments que sur ses habits. (H. de Balzac)

d) Je **puis**, si je **veux**, vous mener chez madame Saqui. (H. de Balzac)

e) Madame, nous ne savons pas de quel côté les tribunaux **verront** la question sentimentale. (H. de Balzac)

13) *a)* Quatre murailles de pierre de taille qui s'**appuient** à angle droit sur un pavé. (V. Hugo)

b) Nous n'**essayerons** pas de donner au lecteur une idée de ce nez tétraèdre et de cette bouche en fer à cheval. (V. Hugo)

c) « On **essaie** de se défendre », dit Mona. (S. de Beauvoir)

d) « Plaisants ambassadeurs que nous **envoit** là monsieur l'archiduc pour nous annoncer madame Marguerite ! » (V. Hugo)

e) En parlant au roi, les voix les plus hautes deviennent basses et les fronts les plus fiers **ploient**.

14) *a)* Elle **avait dû** être une petite fille, un peu secrète, puis une adolescente, puis une femme. (S. de Beauvoir)

b) Gilbert a sonné à dix heures, elle **a crû** que c'était le concierge, elle a ouvert. (S. de Beauvoir)

c) J'entendis ou je **crus** entendre, je ne veux rien affirmer, des gémissements poussés par le monde de cadavres au milieu duquel je gisais. (H. de Balzac)

d) Un homme d'imagination **aurait pu** prendre cette vieille tête pour quelque silhouette **due** au hasard, ou pour un portrait de Rembrandt, sans cadre. (H. de Balzac)

e) Jean-Charles l'avait serrée contre lui, il **était ému** lui aussi. (S. de Beauvoir)

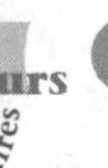

2 Dans laquelle des phrases suivantes le verbe est-il bien accordé ?

a) Voilà à peu près les seuls biens que **puissent** m'enlever le bourreau. (V. Hugo)

b) Elle aurait voulu s'envoler avec lui vers les îles Canaries où, prétendait la publicité, on **dansaient** la *jota* à tous les carrefours. (F. Noël)

c) Elle rit avec elles, elle les **bordes**. (S. de Beauvoir)

d) Le pauvre diable et moi **faisions** la plus belle paire de rosses que j'aie jamais vue. (H. de Balzac)

e) C'est toi qui la **détraque** avec tes scrupules, ta sensiblerie. (S. de Beauvoir)

MODULE 5

Réfléchissons sur le texte

« La visite »

Les homophones

Dét «son[1]» — **Prép «~~avait~~[2]»**

Comme mon compagnon de voyage me disait adieu, il me vint à l'esprit que

Adv «possiblement» — **Prép «à l'intérieur de»**

j'éprouverais peut-être quelque difficulté à pénétrer dans l'établissement. Il me

Conj *que* + Prép *en*

répondit qu'en effet j'en aurais, à moins que je ne connaisse personnellement

Prép complexe «en ce qui le concerne»

M. Maillard, le directeur. Quant à lui, ajouta-t-il, il avait fait, quelques années

Dét «ma» — **Conj «puis»**

auparavant, sa connaissance. Il me le présenta et expliqua mon désir de visiter le

Pron «il»

lieu en question. À six heures précises, on annonça le dîner, et mon hôte m'introduisit

Adv «là» — **Conj «bien que»**

dans une vaste salle à manger. Celle-ci, quoique ne manquant pas tout à fait de

Dét placé devant un Dét et un N — **Prép «avec»**

confort, n'avait pas tous les raffinements désirables. Ainsi, le parquet était sans tapis;

Pron *se* + *en* «*on se passe* de cela»

il est vrai qu'en France on s'en passe souvent. Les fenêtres étaient privées de rideaux,

Conj «cependant» — **Conj «lorsque»**

mais les volets, quand ils étaient fermés, étaient solidement assujettis par des barres de fer,

fixées en diagonale, à la manière des fermetures des boutiques.

Adapté d'Edgar Allan Poe, *Histoires grotesques et sérieuses*, 1864.

---

1. Les mots entre guillemets sont les mots par lesquels il faut remplacer les homophones pour éviter la confusion grammaticale.
2. Le mot barré signifie que le remplacement n'est pas possible.

TABLEAU synthèse

LES HOMOPHONES

Pour éviter de confondre les homophones, on peut utiliser le remplacement. Dans le tableau qui suit, le mot par lequel on remplace l'homophone est mis entre guillemets. La flèche → indique à quel homophone on a alors affaire.

5.1 LES HOMOPHONES : UTILISER LE REMPLACEMENT POUR ÉVITER LA CONFUSION		
A **À**	• « avait » → **a** (verbe *avoir*) • sinon il s'agit de **à** (préposition)	*L'ingénieur **a** décidé qu'on écluserait alternativement une péniche **à** chevaux et un bateau **à** moteur.*
AUSSI TÔT **AUSSITÔT**	• « aussi tard » → **aussi tôt** (adverbes) • sinon il s'agit de **aussitôt** (adverbe signifiant « au même instant »)	*Nous commencerons à travailler **aussi tôt** que possible.* *Elle se fâcha **aussitôt** et commença à bégayer d'indignation.*
ÇA **SA**	• « cela » → **ça** (pronom) • « ma », « ta » → **sa** (déterminant)	*Ils ont tous **ça** à la boutonnière.* *Maigret sortit le bouton d'émail de **sa** poche.*
CE **SE**	• « cela » → **ce** (pronom) • « un », « le » → **ce** (déterminant) • sinon il s'agit de **se** (pronom devant le verbe : celui-ci devient pronominal)	***Ce** n'est point une vapeur, **c'**est une fumée qui va **se** confondre avec les nuages... Vous pouvez me dire où **se** trouve à **ce** moment « La Providence » ?*
DAVANTAGE **D'AVANTAGES**	• « plus » → **davantage** (adverbe) • « d'inconvénients » → **d'avantages** (préposition *de* + nom *avantages*)	*Il faut travailler **davantage**.* *Il a bénéficié **d'avantages** sociaux intéressants.*
D'EN **DANS**	• « de ... de cela » → **d'en** (préposition *de* + pronom *en*) • « en », « à l'intérieur de » → **dans** (préposition)	*Ayant mis mon bonnet de nuit avec la sereine espérance **d'en** jouir* (de *jouir* de cela) *jusqu'au lendemain, je tombai immédiatement **dans** un profond sommeil.*
DONC **DONT**	• « alors » → **donc** (adverbe) • sinon il s'agit de **dont** (pronom relatif)	*J'ai **donc** offert à boire à ces demoiselles.* *Le mal **dont** elles souffrent est incurable.* (souffrir **de** qqch ; *dont* remplace un GPrép)

5.1 LES HOMOPHONES : UTILISER LE REMPLACEMENT POUR ÉVITER LA CONFUSION (suite)

ES/EST ET AIE/AIES/AIT	• « étais/était » → **es/est** (verbe *être*)	*Il **est** profondément blessé qu'on l'**ait** cru capable d'une telle bassesse.*
	• « ou », « puis » → **et** (conjonction de coordination)	*Elle ouvrit la porte **et** sortit.*
	• sinon il s'agit de **aie/aies/ait** (verbe *avoir*)	*Je crains que tu n'**aies** tort.*
L'A LÀ LA	• « l'avait » → **l'a** (pronom *l'* + verbe *avoir*)	*Et celui qui **l'a** ramené a pris la peine de le nettoyer.*
	• « ici » → **là** (adverbe de lieu)	*Elle restera **là** tant qu'il lui plaira.*
	• sinon il s'agit de **la** (déterminant ou pronom)	***La** romancière dont je vous parlais, **la** connaissez-vous ?*
LEUR LEUR(S)	• « lui » → **leur** (pronom invariable placé devant le verbe) • « son », « sa » ou « ses » → **leur(s)** (déterminant placé devant le nom)	*À travers les terreurs personnelles que **leur** occasionnait le château des Carpathes, surgissait le sentiment de **leurs** intérêts si regrettablement lésés.*
	• « les miens » → **les leurs** (pronom)	*Ces factures sont élevées ; **les leurs**, encore plus.*
MAIS MES M'ES/M'EST METS/MET	• « cependant » → **mais** (conjonction de coordination)	*Il a plié **mais** résisté !*
	• « tes » → **mes** (déterminant)	*Le symposium de la soirée avait un peu fatigué **mes** nerfs.*
	• « m'étais/m'était » → **m'es/m'est** (pronom *me* + verbe *être*)	*Cet objet **m'est** très cher.*
	• sinon il s'agit de **mets/met** (verbe *mettre*)	*Tu te **mets** à rêver. Il **met** la table.*
M'AS/M'A MA	• « m'avais/m'avait » → **m'as/m'a** (pronom *me* + verbe *avoir*)	*À un moment donné, elle **m'a** mis son collier dans la main.*
	• « ta », « sa » → **ma** (déterminant)	*L'oiseau a mangé dans **ma** main.*
M'ONT MON	• « m'avaient » → **m'ont** (pronom *me* + verbe *avoir*)	*Je crois qu'ils **m'ont** regardé de travers.*
	• « ton », « son » → **mon** (déterminant)	*C'est **mon** beau-frère qui tient l'auberge.*

5.1 LES HOMOPHONES : UTILISER LE REMPLACEMENT POUR ÉVITER LA CONFUSION (suite)

NI **N'Y**	• « ou » → **ni** (conjonction de coordination) • sinon il s'agit de **n'y** (adverbe de négation *ne* + pronom *y*)	*Est-ce que tu crois qu'à Paris il* ***n'y*** *a* ***ni*** *neige* ***ni*** *boue ?* ***N'y*** *compte pas.*
ONT **ON** **ON N'**	• « avaient » → **ont** (verbe *avoir*) • « il » → **on** (pronom) • « il ne » → **on n'** (pronom *on* + adverbe de négation *ne*)	*Ces demoiselles m'****ont*** *dit qu'****on*** *balayait les rues tous les jours.* ***On*** *aurait dû la laisser sortir.* ***On n'****aurait pas dû la laisser sortir.*
OU **OÙ**	• « ou bien » → **ou** (conjonction de coordination) • sinon il s'agit de **où** (pronom relatif ou mot interrogatif désignant le lieu)	*Quand il a fait assez d'économies, il va à Paris* ***ou*** *à Londres.* *J'ai visité la ville* ***où*** *il est né.* ***Où*** *est votre bicyclette ?*
PEUT ÊTRE **PEUT-ÊTRE**	• « pouvait être » → **peut être** (sans trait d'union car il s'agit des verbes *pouvoir* + *être*) • « possiblement » → **peut-être** (avec trait d'union car il s'agit d'un adverbe)	*Un poème* ***peut être*** *source de plaisir.* ***Peut-être*** *viendra-t-il ce soir.*
PEUX/PEUT **PEU**	• « pouvais/pouvait » → **peux/peut** (verbe *pouvoir*) • « beaucoup » → **peu** (adverbe, ou déterminant de forme complexe avec *de*)	*Maintenant, il passe son temps comme il* ***peut****…* *Il a* ***peu*** *de temps à consacrer à ce travail !* ***Peu*** *de bénévoles se sont présentés.*
PLUS TÔT **PLUTÔT**	• « plus tard » → **plus tôt** (adverbes) • sinon il s'agit de **plutôt** (adverbe signifiant « de préférence » ou « passablement », « assez »)	*Jeudi, Marie s'était levée beaucoup* ***plus tôt*** *que d'habitude.* *Choisissez* ***plutôt*** *ce chemisier.* *Elle est* ***plutôt*** *bien habillée.*
PRÈS **PRÊT**	• « loin » → **près** (adverbe ou préposition complexe avec *de*, *du* ou *des*) • « prête » au féminin → **prêt** (adjectif)	*Elle s'assit* ***près*** *du feu.* *Le bouton de rose est* ***prêt*** *à fleurir.*
QUAND **QUANT** **QU'EN**	• « lorsque » → **quand** (conjonction de subordination) • « malgré tout » → **quand** (adverbe placé avant *même*)	*Il réussit* ***quand*** *il le veut.* *Maigret nota* ***quand*** *même ce petit décalage.*

5.1 LES HOMOPHONES : UTILISER LE REMPLACEMENT POUR ÉVITER LA CONFUSION (suite)

QUAND **QUANT** **QU'EN** **(suite)**	• « à quel moment ? » → **quand** (mot interrogatif) • « pour ce qui est de » ou « en ce qui concerne » → **quant** (à, au, aux) (préposition de forme complexe) • sinon il s'agit de **qu'en** (pronom relatif ou conjonction *que* + pronom ou préposition *en*)	***Quand** viendrez-vous ?* ***Quant à** elle, rien ne changera.* *Elle regarda la chambre **qu'en** quelques minutes elle était parvenue à mettre en désordre.* *Elle ne croit **qu'en** lui.*
QU'ELLE(S) **QUEL(S)/ QUELLE(S)**	• « qu'il(s) » → **qu'elle(s)** (pronom relatif ou conjonction *que* + pronom *elle* ou *elles*) • sinon il s'agit de **quel(s)** ou **quelle(s)** (mot interrogatif ou exclamatif)	*Le directeur s'est arrangé pour **qu'elle** soit bien au centre du rayon.* ***Quels** mots allez-vous choisir ?* ***Quelle** bagnole !*
QUI **QU'Y**	• **qui** (pronom interrogatif ou relatif) • « qu'est-ce qu'il y a ? » → **qu'y** (*que* + pronom *y*)	***Qui** est cette femme **qui** chante si bien ?* ***Qu'y** a-t-il de neuf ?*
QU'IL **QUI L'**	• « qu'elle » → **qu'il** (pronom ou conjonction *que* + pronom *il*) • « qui les » → **qui l'** (pronom *qui* + pronom *l'*)	*Il faut **qu'il** réussisse.* *Le professeur **qui l'**aide est méticuleux.*
QUOIQUE **QUOI QUE**	• « bien que » → **quoique** (conjonction de subordination) • « peu importe ce que » → **quoi que** (pronom *quoi* + pronom relatif *que*)	***Quoique** triste, il garde le sourire.* *Il avait compris que jamais, **quoi qu'**il arrivât, elle ne parlerait.*
S'EN **SANS** **SENS/SENT**	• « se … de cela » → **s'en** (pronom *se* + pronom *en*) • « avec » → **sans** (préposition) • « sentais/sentait » → **sens/sent** (verbe *sentir*)	*Il ne **s'en** était pas inquiété.* (il ne **s'**était pas inquiété **de cela**) *Le colonel s'inclina **sans** hésitation.* (**avec** hésitation) *Je **sens** l'arrivée du printemps.*
SES **CES** **C'EST** **SAIS/SAIT** **S'EST**	• « son », « mes » → **ses** (déterminant) • « ce », « cette » → **ces** (déterminant) • « cela est » → **c'est** (pronom sujet *c'* + verbe *être*)	*J'ai vu **ses** papiers : un vieux carnet militaire.* ***Ces** indications sont incompréhensibles.* ***C'est** bien elle…*

5.1 LES HOMOPHONES : UTILISER LE REMPLACEMENT POUR ÉVITER LA CONFUSION (suite)

SES CES C'EST SAIS/SAIT S'EST (suite)	• « savais/savait » → **sais/sait** (verbe *savoir*) • sinon il s'agit de **s'est** (pronom *se* + auxiliaire *être*)	*Il* ***sait*** *qu'à la moindre défaillance sa femme l'agripperait.* *Il* ***s'est*** *blessé le doigt.*
SI S'Y CI	• « à supposer que » → **si** (conjonction de subordination) • « aussi », « tellement » → **si** (adverbe) • « m'y », « t'y » → **s'y** (pronom *se* + pronom *y*) • « là » → **ci** (adverbe joint au mot précédent par un trait d'union)	***Si*** *j'avais su, je ne serais pas venu.* *Jamais il ne s'était senti* ***si*** *misérable.* *Et il avait eu la curiosité de* ***s'y*** *présenter.* *Ceux-****ci*** *suivront le guide.*
SONT SON	• « étaient » → **sont** (verbe *être*) • « mon », « ton » → **son** (déterminant)	*Les cabines téléphoniques* ***sont*** *disposées le long du sentier.* *Elle leur aurait donné* ***son*** *collier.*
T'ES/T'EST TES	• « t'étais/t'était » → **t'es/t'est** (pronom *te* + verbe *être*) • « mes » → **tes** (déterminant)	*Tu* ***t'es*** *énervée en les voyant partir !* *Il ne* ***t'est*** *rien arrivé de grave.* ***Tes*** *souvenirs te suivent partout.*
T'ONT TON	• « t'avaient » → **t'ont** (pronom *te* + verbe *avoir*) • « mon » → **ton** (déterminant)	*Tous* ***t'ont*** *approuvé.* *Ramène* ***ton*** *frère !*
TOUT (MS) TOUS (MP) TOUTE (FS) TOUTES (FP)	• Placé devant un déterminant et un nom, s'accorde avec le nom → **tout, tous, toute(s)** (déterminant) • « entièrement » → **tout** (adverbe invariable, sauf s'il est placé devant un adjectif féminin commençant par une consonne ou un *h* aspiré : **toute(s)**) • « tout cela » → **tout** (pronom) • « toutes les personnes » ou « toutes les choses » → **tous, toutes** (pronom) • « totalité » → **tout(s)** (nom précédé d'un déterminant)	*Il lui a réclamé* ***tous*** *ses biens.* *Des habits* ***tout*** *déchirés.* *Des chemises* ***toutes*** *déchirées.* ***Tout*** *est musique pour un cœur musicien.* ***Tous*** *sont venus à la réunion.* *Il les reçut* ***toutes****.* *Vous pouvez prendre le* ***tout****.* *Il pensait à son existence comme à des* ***touts****.*

EXERCICES de grammaire

1 Écrivez le mot qui convient: *ces, ses, c'est, s'est, sais* ou *sait*.

a) Elle lui raconta à son tour des anecdotes, avec un entrain facile de femme qui se ________ spirituelle et qui veut être drôle. (G. de Maupassant)

b) Ne vous attendez à rien de singulier ou de romanesque; ________ une aventure très simple. (T. Gautier)

c) Tu es dure avec moi, tu ________ . (G. Courteline)

d) Fascinés par l'action, attirés par elle, pour notre plus grand bien, sur le terrain qu'elle ________ choisi, nous vivons dans une zone mitoyenne entre les choses et nous. (H. Bergson)

e) Quel que soit le rapport de l'âme humaine, en ________ rêves même les plus audacieux ou les plus subtils, avec le système économique et social, elle va au-delà du milieu humain, dans l'immense milieu cosmique. (J. Jaurès)

f) Et il avertit le public que si ________ manifestations indécentes se reproduisaient, il ferait évacuer la salle. (A. France)

g) Il ________ toujours joué un drame autour des lieux inspirés. (M. Barrès)

h) Je t'assure que ________ gens ont plus fait pour me rapprocher de toi que tous nos efforts réunis depuis deux mois. (É. Bourdet)

i) On ________ assez ce qu'est l'inspiration. (A. Breton)

2 **Écrivez le mot qui convient: *ai, aie, aies, ait, es* ou *est*.**

a) Croyez-moi, la reconnaissance filiale n'_______ pas spontanée; elle est un effort de civilisation, un fragile essai de vertu! (P. Hervieu)

b) Ah! Tu _______ le plus malheureux des hommes, je le reconnais, mais quand on _______ aussi lâche, on n'_______ pas à plaindre. (G. de Porto-Riche)

c) Je lui _______ racheté tous ses droits, par téléphone. (É. Bourdet)

d) C'est moi qui l'_______ prise par la main, l'autre nuit, étant allée la retrouver. (P. Claudel)

e) Afin qu'il m'_______ tout entière il me fallait l'avoir tout entier! (P. Claudel)

f) Si bien qu'il nous _______ resté à peine trois minutes pour régler la question des honoraires. (J. Romains)

g) Quand le café fut pris, tasses, cafetières et cuillers disparurent à la fois, et la conversation commença, certes la plus curieuse que j'_______ jamais ouïe, car aucun de ces étranges causeurs ne regardait l'autre en parlant. (T. Gautier)

h) C'est d'un malentendu sur ce point qu'_______ né le débat entre le réalisme et l'idéalisme dans l'art. (H. Bergson)

3 **Écrivez le mot qui convient: *sans, s'en, c'en, sens* ou *sent*.**

a) La petite fille qui le gardait, _________ qu'il _________ aperçût, pieusement essuya ses larmes. (R. Rolland)

b) Je veux me marier parce que je me _________ un peu seul.

— Il est toujours temps de n'être plus seul. Tandis qu'une femme, il est assez difficile de _________ débarrasser. (T. Bernard)

c) L'influence de la raison athénienne créa et peut _________ doute recréer l'ordre de la civilisation. (C. Maurras) *d)* Il y a des idées immobiles auxquelles il ne faut pas toucher, Bobo, sinon elles se mettent à remuer et __________ est fini de notre repos. (A. Salacrou)

e) Les chars __________ allaient dans les chemins creux. (J. Giono)

f) Il faut de la sagesse pour __________ contenter. (A. France)

g) __________ moi, vous seriez encore à la pension Muche. (M. Pagnol)

4 Encerclez, dans les parenthèses, le mot qui convient.

a) Je dors (sans / s'en) doute, car ceci ne (peut-être / peut être) qu'un rêve ! (P. Loti)

b) Il (ni / n'y) (a / à) (quand / quant / qu'en) France qu'(on / on n' / ont / ont n') écrive (ces / ses) choses-là. (A. Dumas)

c) Je ne sais (ce / se) qui m'(aie / ait / est) entré (dans / d'en) l'œil. (Beaumarchais)

d) (C'est / S'est / Ces / Ses) un art (sans / s'en) débouchés aujourd'hui puisqu'il (ni / n'y) a plus (ni / n'y) grandes existences, (ni / n'y) grandes fortunes. (H. de Balzac)

e) Il avait l'air d'un chétif maître d'études (à / a) lunettes, (dont / donc) le corps fluet n'adhérait de (nul / nulle) part à (ces / ses) vêtements. (G. de Maupassant)

f) (Ces / Ses) raisons[-là] lui semblaient devoir être (si / s'y) redoutables pour sa tranquillité qu'il s'efforça de (ni / n'y) plus songer. (M. Aymé)

g) Les compagnons comprenaient parfaitement le reproche et le trouvaient justifié, (mais / mes) ayant (tout / tous) (quelque / quelques / quelle que / quelles que) raisons (dans / d'en) vouloir à Frioulat, ils restèrent (sans / s'en) réaction. (M. Aymé)

h) Il se demandait : « A-t-elle été inquiétée par ma question sur le portrait, ou seulement surprise ? (La / L'a / Là)-t-elle égaré ou caché ? (S'est / C'est / Sait)-elle (ou / où) il est, ou bien ne (s'est / sait / c'est)-elle pas ? Si elle (l'a / là / la) caché, pourquoi ? » (G. de Maupassant) *i)* Beaucoup de personnes passent (tout / toute / tous / toutes) leur journée à Florian ; enfin Florian est un (tel / telle) besoin pour (certains / certaines) gens que pendant les entractes, ils quittent la loge de (leur / leurs) amies pour y faire un tour et savoir (ce / se) qui (si / s'y) dit. (H. de Balzac)

j) (Peut être / Peut-être) (même / mêmes) [la bise] traversait-elle Germaine qui semblait n'avoir pas beaucoup plus d'épaisseur (ni / n'y) de réalité que (son / sont) manteau. C'était une ombre frêle, au petit visage étroit (tout / toute / tous / toutes) en soucis, un de (ces / ses) êtres (donc / dont) la misère et l'effacement ressemblent à une charité du destin, comme s'ils ne pouvaient subsister (quand / quant / qu'en) raison du (peu / peut / peux) de prise qu'ils donnent à la vie. (Dans / D'en) la rue, les hommes ne (la / l'a) voyaient pas, et rarement les femmes. Les commerçants ne retenaient pas (son / sont) nom et les gens qui l'employaient étaient à (peu / peut / peux) (près / prêts) seuls à la connaître. (M. Aymé)

k) (Quoique / Quoi que) l'(on / ont) puisse dire (à / a) l'avantage des jardins anglais, (ces / ses) arbres en parasols, (ces / ses) ifs taillés, (ce / se) luxe des productions de l'art marié (si / s'y) finement (à / a) celui d'une nature habillée ; (ces / ses) cascades à gradins de marbre (ou / où) l'eau se glisse timidement et semble comme une écharpe enlevée par le vent, (mais / mes) toujours renouvelée ; (ces / ses) personnages en plomb doré qui meublent discrètement de silencieux asiles ; enfin (ce / se) palais hardi qui fait point de vue de (tout / toute / tous / toutes) parts en élevant sa dentelle au pied des Alpes ; (ces / ses) vives pensées qui animent la pierre, le bronze et les végétaux, (ou / où) se dessinent en parterre, (cet / cette) poétique prodigalité convenait à l'amour d'une duchesse et d'un joli jeune homme. (Adapté de H. de Balzac)

5 **Soulignez les mots mal orthographiés et récrivez-les correctement dans la marge.**

a) C'était plus qu'une distinction, c'était une faveur. Il y a, dans la manière donc une femme s'acquitte de cette fonction, toute un langage; mes les femmes le savent bien; aussi est-ce une étude curieuse à faire que celle de leurs mouvements, de leurs gestes, de leurs regards, de leurs tons, de leur accent, quant elles accomplissent cet acte de politesse en apparence simple. (H. de Balzac)

b) Avec quelle art se grand peintre à su employer tous les couleurs brunes de la musique et tous se qu'il y a de tristesse sur la palette musicale! Quels froides ténèbres! Quelles brumes! (H. de Balzac)

c) Le docteur leurs raconta aussi tôt l'embarras d'en lequel il se trouvait et leurs démontra comment les cailles et les autre animaux comestibles étaient devenus tous aussi prohibés pour lui que le jambon pour un juif. M. le Doyen qui, s'en doute, avait mal dîné perdit alors toute mesure et blasphéma de s'y terrible façon que le pauvre docteur qu'il le respectait beaucoup, toute en déplorant son aveuglement, ne savait plus ou ce cacher. (G. de Maupassant)

d) Cependant les deux cocotiers étaient debout et bien verdoyants; mais il ni avait plus aux environs ni gazons, ni berceaux, ni oiseaux, exceptés quels que bengalis qui, sur la pointe des rochers voisins, déploraient par des chants plaintifs la perte de leur petits.

(J.-H. Bernardin de Saint-Pierre)

e) L'auberge de Mansle, appelée La Belle-Étoile, avait pour maître un de ses gras et gros hommes qu'ont n'à peur de ne pas retrouver au retour, et qui son encore, dix ans après, sur le seuil de leur porte, avec la même quantité de chair, le même bonnet de coton, le même tablier, le même couteau, les même cheveux gras, le même triple menton et qui son stéréotypés chez tout les romanciers, depuis l'immortel Cervantès jusqu'à l'immortel Walter Scott. (H. de Balzac)

f) Il les accueillait avec bonté d'en les bureaux de la perception, leurs accordant volontiers des délais pour acquitter leurs redevances. (M. Aymé)

g) J'étais dans la chambre des femmes, en veste blanche : il faisait chaud !... J'attendais la ma Suzannette, qu'en j'aie ouï tout à coup la voix de Monseigneur et le grand bruit qui se fesait ! Je ne s'est qu'elle crainte ma saisi à l'occasion de se billet ; et, s'il faut avouer ma bêtise, j'ai sauté s'en réflexion sur les couches, ou je me suis même un peut foulé le pied droit. (Beaumarchais)

6 Pour chaque extrait :

1) relevez les homophones mal orthographiés et corrigez-les ;

2) dites quel remplacement vous avez dû effectuer pour les reconnaître.

a) Marie eut le sentiment que tout était s'y vaste, que jamais il ne lui serait possible dans connaître les limites. Jamais encore elle n'avait vu un aussi grand domaine, surtout un domaine qui fût aussi beau. Quoi quelle fût bien sûre d'être éveillée, l'idée que se ne pourrait n'être qu'un rêve l'inquiétait un peu. (R. Vincent)

____

____

____

____

____

b) Ce fut au tour de Noël de rire et de ce moquer. Elle le laissait rire. Elle était tellement sûre de ce quelle disait ! Rien ne lui paraissait impossible. Il lui semblait même quelle pourrait voler et planer aussi facilement que ses grands oiseaux donc les ailes lourdes ce soulevaient et s'abaissaient lentement et s'en bruit.

Elle ne tarda pas a savoir nager aussi bien que le garçon, quoi quelle ne voulût jamais ce mettre a plat sur l'eau ainsi qu'il le lui conseillait. [...]

Un après-midi que le père s'attardait a regarder les deux enfants au milieu de l'étang, Noël lui cria :

« Dis-lui, papa, quelle nage comme une oie, et qu'il faut absolument que l'ont voie ces pieds !

— Elle nage plus tôt comme un cygne ! » dit en riant le père. (M. Audoux)

____

____

____

7 Composez une phrase contenant :

1) « on » et « ont » ;

2) « c'est », « son » et « s'est » ;

3) « ce sont », « ses » et « se sont » ;

4) « m'a », « à » et « et » ;

5) « quels » et « qu'elle ».

EXERCICES de renforcement

1 Écrivez dans les parenthèses le remplacement à faire pour justifier l'orthographe du mot souligné.

« Les grands poètes, les grands acteurs, et <u>peut-être</u> (______________________) en général tous les grands imitateurs de la nature, quels qu'ils soient, doués d'une belle imagination, d'un grand jugement, d'un tact fin, d'un goût très sûr, <u>sont</u> (__________________) les êtres les moins sensibles. Ils sont également propres à trop de choses ; ils sont trop occupés <u>à</u> (_________________) regarder, à reconnaître, à imiter, pour être vivement affectés au-dedans d'eux-mêmes. Je les vois <u>sans</u> (________________) cesse le portefeuille sur les genoux et le crayon à la main. »

Denis Diderot, *Paradoxe sur le comédien*, 1773.

2 Encerclez, dans les parenthèses, le mot qui convient.

« Il était (plus tôt / plutôt) petit que grand, le visage long et brun. [...] Le bas du visage assez pointu, et le nez long, élevé, (mais / m'est / mes) point beau, n'allait pas (s'y / si) bien ; des cheveux châtains (s'y / si) crépus et en telle quantité qu'ils bouffaient (à / a) l'excès ; les lèvres et la bouche agréables (qu'en / quant / quand) il ne
5 parlait point ; mais (quoi que / quoique) ses dents ne fussent pas vilaines, le râtelier supérieur s'avançait trop et emboîtait presque celui de dessous, (ce / se) qui, en parlant et en riant, faisait un effet désagréable. Il avait les plus belles jambes et les plus beaux pieds qu'après le roi j'(ai / aie / aies / ait / es / est) jamais vus (à / a) personne, mais trop longues, aussi bien que (ces / ses) cuisses, pour la proportion de son corps.

10 Il sortit droit d'entre les mains des femmes. (Ont / On) s'aperçut de bonne heure que sa taille commençait à tourner. (Ont / On) employa (aussi tôt / aussitôt) et longtemps le collier et la croix de fer, qu'il portait tant qu'il était dans (son / sont) appartement, même devant le monde ; et (on / on n') oublia aucun des jeux et des exercices propres (à / a) le redresser. La nature demeura la plus forte. Il devint bossu,

15 mais (si / s'y) particulièrement d'une épaule (qui / qu'il) en fut boiteux, non qu'il n'eût les cuisses et les jambes parfaitement égales, mais (parce que / par ce que) à mesure que cette épaule grossit, il (ni / n'y) eut plus, des deux hanches jusqu'aux pieds, la même distance, et, au lieu d'être (à / a) plomb, il pencha d'un côté. »

Saint-Simon, *Mémoires*, 1739-1749.

3 Des erreurs d'homophones se sont glissées dans les phrases suivantes. Après les avoir identifiées, corrigez-les.

a) Cette chanson-la, il la apprise pour la fête, mais je n'étais pas la pour l'écouter et l'apprécier quant il la interprétée.

b) Quant on vous donne des conseils, quand faites-vous ? Vous semblez les ignorer et agir a votre guise s'en souci des conséquences.

c) En été, les parcs de Montréal son pleins de roses, mais il est interdit dans prendre où dans cueillir.

d) Vous ni parviendrez pas, vous n'avez n'y le temps n'y la force de réaliser le projet donc on a discuté la semaine passée.

e) Deux jours plutôt, la lave rougeoyait plutôt qu'elle ne bouillonnait au ras de la lèvre gigantesque. Aujourd'hui, tout se magma incandescent a disparu.

f) Il faudrait quelles nous disent quelles erreurs elles commettent en agissant ainsi avec ces étrangers s'en nous avertir.

g) La maison ou nous passons les grandes vacances domine la vallée. Des rideaux d'arbres dérobent en partie le fleuve a notre vue. Mais il suffit de trois minutes de marche pour atteindre une clairière, d'ou le regard embrasse d'un coup le vaste paysage. (J. Green)

4 Encerclez, dans les parenthèses, le mot qui convient.

a) Aux tables d'alentour, les consommateurs faisaient écho (à / a) (leur / leurs) propos et parlaient avec une certaine acrimonie des exigences du fisc, (sans / s'en) (toutefois / toutes fois) (sans / s'en) prendre directement au percepteur. (M. Aymé)

b) Cette figure jaune était (tout / toute / tous / toutes) rides. Le crâne, semblable (à / a) celui de Voltaire, avait l'insensibilité d'une tête de mort, et, (sans / s'en) (quelque / quelques) cheveux à l'arrière, (on / ont / on n' / ont n') eût douté qu'il fût celui d'un homme vivant. Sous un front immobile, s'agitaient (sans / s'en) rien exprimer des yeux de Chinois exposés sous verre à la porte d'un magasin de thé, des yeux factices qui jouent la vie, et (donc / dont) l'expression ne change jamais. (H. de Balzac)

c) Marianne entre au réfectoire sans avoir eu le temps de quitter sa parure…

À mon apparition, (tous / tout) les yeux (ce / se) fixèrent sur moi et (on / ont) se fit l'une à l'autre de ces petits signes de tête qui marquent une agréable surprise et qui font l'éloge de (ce /se) qu'on voit, et de temps en temps (on / ont) regardait ma rivale pour examiner la mine (qu'elle / quelle) faisait, comme si on avait voulu voir si elle se tenait pour battue, car (on / ont) savait sa jalousie. (Quand / Quant / Qu'en) à elle, (aussitôt / aussi tôt) (qu'elle / quelle) m'eut vue, j'observai (quelle / qu'elle) baissa les yeux en souriant de l'air dont (on / ont) sourit (quant / quand / qu'en) quelque chose paraît ridicule. (Marivaux)

Récapitulation

1 Encerclez, dans les parenthèses, le mot qui convient.

Les bottes de sept lieues

« (Quand / Quant) (on / ont) l'enverrait chercher un quart de beurre (ou / où) un litre de lait, il irait les acheter (dans / d'en) un village de Normandie (ou / où) il les aurait à meilleur marché, et mettrait la différence dans sa poche. Du reste, (tous / tout) étaient d'accord pour aller passer (leur / leurs) jeudis après-midi en
5 Afrique (ou / où) dans les Indes, (a / à) guerroyer contre les sauvages et (a / à) chasser les grands fauves. Antoine n'était pas moins tenté que (ces / ses) camarades par de (tel / telle / tels / telles) expéditions. Pourtant, d'autres rêves, qu'il tenait secrets, lui étaient plus doux. Sa mère n'aurait plus jamais d'inquiétude pour la nourriture. Les jours (ou / où) l'argent manquerait à la maison, il enfilerait ses bottes de sept
10 lieues. En dix minutes, il aurait achevé (son / sont) tour de France. (À / A) Lyon, il prendrait un morceau de viande à un étal; à Marseille, un pain; à Bordeaux, un légume; un litre de lait à Nantes; un quart de café à Cherbourg. Il (ce / se) laissait aller à penser qu'il pourrait prendre aussi pour sa mère un bon manteau (qui / qu'il) lui tiendrait chaud. Et (peut être / peut-être) une paire de souliers, car elle n'en avait plus
15 qu'une, déjà bien usée. Le jour du terme, (si / s'y) les (cent soixante / cent-soixante / cents soixante / cents-soixante) francs du loyer venaient (a / à) manquer, il faudrait encore y pourvoir. (C'est / S'est) assez facile. (On / Ont) entre dans une boutique à Lille ou à Carcassonne, une boutique cossue (ou / où) les clients n'entrent pas en tenant serré (dans / d'en) la main l'argent des commissions. Au moment (ou / où)
20 une dame reçoit sa monnaie au comptoir, (on / ont) lui prend les billets des mains et, avant qu'elle (aie / ait / est) eu le temps de s'indigner, (on / on n' / ont / ont n') est déjà rentré à Montmartre. S'emparer ainsi du bien d'autrui, (ces / c'est / ses / s'est)

très gênant, (même / mêmes) à l'imaginer dans (son / sont) lit. (Mais / Mes) avoir faim, (ces / c'est / ses / s'est) gênant aussi. Et, (quand / quant) (on / on n' / ont / ont n') 25 (a / à) plus de quoi payer le loyer de sa mansarde et qu'il faut l'avouer à sa concierge et faire des promesses au propriétaire, (on / ont) (ce / se) sent (tout / tous) aussi honteux que (si / s'y) l'(on / on n' / ont / ont n') avait dérobé le bien d'autrui. »

Marcel Aymé, « Les bottes de sept lieues », dans *Le passe-muraille*, © Éditions Gallimard, 1943, p. 190-191.

2 Répondez aux questions suivantes en vous reportant au texte « Les bottes de sept lieues ».

1) Quelle est la classe du mot « fauves » (l. 6) ?

____

2) Composez une phrase dans laquelle le mot « fauve » appartiendra à une autre classe et indiquez quelle est cette autre classe.

____

____

3) Donnez la classe et la fonction du mot « secrets » (l. 7).

____

4) Quel est le donneur d'accord du mot « usée » (l. 15) ?

____

5) Quel est le donneur d'accord du mot « serré » (l. 19) ?

____

6) Le mot « gênant » (l. 23) est-il adjectif ou participe présent ? Justifiez votre réponse.

____

3 Dans le texte suivant :

1) encerclez, dans les parenthèses, le mot qui convient ;

2) accordez les adjectifs et les participes dans les espaces indiqués.

Les premiers Gaspésiens

«(Quand / Quant / Qu'en) les Canadiens débarquèrent en Gaspésie, venant de Montmagny, de l'Islet, de Cap Saint-Ignace, de (ces / ses) paroisses (sans / s'en) sauvagerie (donc / dont) le paysage était humanisé___ depuis longtemps, ils (ce / se) sentirent inquiet___, diminué___ et misérable___. Pour (ce / se) fortifier ils se
5 cabanèrent. Ils bâtirent des maisonnettes (a / à) pignon (si / s'y) petites en vérité qu'elles étaient des diminutions du diminutif. Il en subsiste quelques-unes, çà et là sur la Côte. Elles datent de trois ou quatre générations, (peut être / peut-être) (même / mêmes) d'un siècle. Elles ont bien résisté___, tout en charpente, fait___ de troncs équarris, d'une robustesse démesuré___. Au dedans, une pièce sombre, pla-
10 fonné___ bas, véritable réduit. Contre qui, contre quoi (si / s'y) défendait-(on / ont)? Contre le froid, la solitude, contre le pays indompté___, (ces / ses) espaces terrifiant___. (Mais / Mes), peu à peu (on / on n') avait repris confiance, on s'était redressé___, (on / on n') avait construit___ des habitations plus grandes. La petite maison pionnière devint la cuisine d'été (ou / où) la dépense de celles-ci; (ou / où)
15 bien un hangar, une étable, une soue; (ou / où) encore, abandonné___, ouvert___ à tous les vents, la masure en démence, hurlant___ la peur des premiers hivernements. Quelques-unes enfin continueront d'être habité___, servant de refuge à la singularité. (C'est / S'est) (dans / d'en) l'une d'elles que la veuve vivait. Elle (si / s'y) était installé___ depuis nombre d'années, depuis plus longtemps qu'elle ne le croyait
20 elle-même. Veuve de qui? (On / Ont) l'ignorait. Elle s'appelait Gélinas, un nom qui n'(ait / est) pas gaspésien. Elle venait, paraît-il, de très loin, d'une province en amont de Québec. En (tout / tous) cas, (c'était / s'était) une pure étrangère.»

Jacques Ferron, «Les cargos noirs de la guerre», dans *Contes*,

4 **Répondez aux questions suivantes en vous reportant au texte « Les premiers Gaspésiens » de la page 181.**

1) *a)* À quel mot fait référence « diminutif » (l. 6) ?

_b)_ Trouvez trois autres mots formés avec le même suffixe.

2) Quel est le donneur d'accord du mot « petites » (l. 5) ?

3) Quelle est la classe du mot « réduit » (l. 10) ?

4) Donnez la fonction de « quelques-unes » aux lignes 6 et 17.

5) Donnez la classe du mot « terrifiant » (l. 11-12), puis composez une phrase dans laquelle ce mot appartiendra à une autre classe.

6) Trouvez deux homonymes au mot « soue » (l. 15) et composez une phrase avec chacun.

7) Expliquez la terminaison des mots suivants:

a) sauvagerie (l. 3): ______

b) singularité (l. 17-18): ______

c) années (l. 19): ______

8) Relevez une phrase incise dans le texte.

______

9) Justifiez l'emploi de la majuscule ou de la minuscule dans chacun des mots suivants:

a) Canadiens (l. 1): ______

b) Gaspésie (l. 1): ______

c) Montmagny (l. 2): ______

d) Côte (l. 7): ______

e) Gélinas (l. 20): ______

f) gaspésien (l. 21): ______

g) province (l. 21): ______

h) Québec (l. 22): ______

10) Donnez la classe des mots suivants et expliquez leur accord.

a) tout (l. 8): ______

b) tous (l. 16): ______

c) pionnière (l. 14): ______

11) Donnez la classe du mot «étrangère» (l. 22), puis composez une phrase dans laquelle ce mot appartiendra à une autre classe.

______

______

______

Autocorrection

Erreurs volontaires

À l'aide du tableau ci-dessous, corrigez les erreurs d'homophones et justifiez vos corrections.

a) Ces un peut la façon donc on procède d'en les hôpitaux. (J. Romains)

b) L'univers peut ce tromper. Sait a cela qu'ont reconnaît l'erreur, elle ait universelle. (J. Giraudoux)

c) Un bras malingre sous des linges a peu prêt propres. (R. Martin du Gard)

Mot correctement orthographié	Classe du mot	Justification (remplacement, truc, etc.)

Évaluez VOS CONNAISSANCES

1 Laquelle des phrases suivantes contient une erreur d'homophone?

a) **C'est** un homme de condition qui **m'ait** prédit pour époux, et je n'en rabattrai rien.

b) Non, mais elle **a** dit que tu **n'y** gagnerais rien, et moi, je te le confirme.

c) Cette fierté-**là** te va **à** merveille, et **quoiqu'**elle me fasse mon procès je suis pourtant bien aise de te la voir.

d) Ma foi, elle a tort, mais l'amour **a** plus tort **qu'elle**.

Marivaux, *Le jeu de l'amour et du hasard*, 1730.

2 Laquelle des phrases suivantes contient une erreur d'homophone?

a) Il y **a** deux mois que tu **es** parti, mon cher Usbek; et, **dans** l'abattement **où** je suis, je ne puis pas me le persuader encore.

b) Paris est aussi grand qu'Ispahan: les maisons y **sont si** hautes qu'on jurerait **quelles** ne sont habitées que par des astrologues.

c) **Quand** tout le monde **est** descendu dans la rue, il **s'y** fait un bel embarras.

d) Tu ne le croiras pas **peut-être**, depuis un mois que je suis ici, je **n'y ai** encore vu marcher personne.

Montesquieu, *Lettres persanes*, 1721.

3 Choisissez, parmi les réponses suggérées, celle qui donne, dans l'ordre, les homophones qui conviennent.

« On ne ________ peindre avec des couleurs plus fortes les horreurs de la société humaine ________ notre ignorance et notre faiblesse se promettent tant de consolations. ________ a jamais employé tant d'esprit ________ vouloir nous rendre bêtes. Il prend envie de marcher à quatre pattes ________ on lit votre ouvrage. »

Voltaire, *Lettre à Rousseau*, 1755.

a) peut, donc, ont, à, quant

b) peu, donc, ont n', a, qu'en

c) peut, dont, on n', à, quand

d) peu, dont, on, a, quant

e) peut, dont, on n', a, quant

4 **Choisissez, parmi les réponses suggérées, celle qui donne, dans l'ordre, les homophones qui conviennent.**

« __________ , le bruit des vagues et l'agitation de l'eau, fixant __________ sens et chassant de mon âme toute autre agitation, __________ plongeaient __________ une rêverie délicieuse, __________ la nuit me surprenait souvent __________ que je m'en fusse aperçu. »

Jean-Jacques Rousseau, *Les rêveries du promeneur solitaire*, 1776-1778.

a) là, mes, la, dans, où, sans

b) la, m'est, l'a, d'en, où, s'en

c) las, mais, la, d'en, ou, sent

d) l'a, m'es, l'a, dans, ou, sens

e) là, mes, la, dans, ou, s'en

f) la, mais, la, dans, où, sans

5 **Choisissez, parmi les réponses suggérées, celle qui donne, dans l'ordre, les homophones qui conviennent.**

« L'ombre des cours était légère, __________ il __________ promenait après une lecture, et __________ __________ sentait peuplé d'un monde épars de pensées, de rythmes et de fantômes. »

Marcel Arland, *L'ordre*, 1929.

a) qu'en, se, qu'il, s'y

b) quant, ce, qui le, si

c) quand, se, qu'il, s'y

d) quant, ce, qu'il, si

6 **Dans quel espace doit-on mettre « qu'il » ? Que doit-on mettre dans les autres ?**

« Faust, Manfred, Prospéro ! éternelle race d'Hamlet, **(a)** __________ sait qu'il y a plus de choses sur la terre et dans le ciel **(b)** __________ n'en est rêvé dans notre philosophie et **(c)** __________ s'en va chercher le secret de la vie dans les songeries de la solitude ! Je crois les avoir rencontrés dans les sentiers de la colline ; ils s'arrêtaient pour regarder les bonnes gens **(d)** __________ gagnent l'église du pèlerinage. »

Maurice Barrès, *La colline inspirée*, 1913.

a)

b)

c)

d)

7 **Dans chacune des phrases suivantes, encerclez le mot en gras mal orthographié.**

a) Donne **ton** bras. N'**aie** pas peur, je t'**es** dit que **c'**était fini. Lavage et compresses, **ça** ne fait pas mal. (R. Martin du Gard)

b) Elle est **là**, toute blanche, **dans** son lit, **ses** beaux cheveux divisés en deux grosses nattes **quelle** ramène sur **sa** poitrine. (G. Duhamel)

c) **Mais** s'il faut **sans** retourner **sans** explications, **sans** compter sur un autre rendez-vous, **c'est** encore bien plus douloureux. (J. Romains)

d) Mme de Séryeuse, convaincue que **c'étaient là** les derniers scrupules de Mahaut, s'écria **qu'elle** savait **a** quoi **s'en** tenir sur les sentiments de François. (R. Radiguet)

e) À peine délivré de **son** collège, c'était encore à **ce** collège que songeait Villars, tandis que, une main **dans** la poche, l'autre tenant **son** goûter, il suivait le chemin de ronde **qu'il** longe les remparts. (M. Arland)

8 **Laquelle des phrases suivantes ne contient aucune erreur d'homophone?**

a) La fille de Démodocus le suivait; on n'entendait le frémissement de son haleine, car elle tremblait. (F. R. de Chateaubriand)

b) Tout le passé ne nous ait-il pas commun? (B. Constant)

c) Une balle pourtant, mieux ajustée ou plus traître que les autres, finit par atteindre l'enfant feu follet. (V. Hugo)

d) Sous votre aimable tête, un cou blanc, délicat,
Ce plie, et de la neige effacerait l'éclat. (A. de Musset)

9 Laquelle des phrases suivantes ne contient aucune erreur d'homophone?

a) Hélas! croyez-vous donc qu'il ne nous est pas trompés? (A. de Vigny)

b) Mais la tante avait dit ces belles paroles: «Tout cela, ce n'est que du dessert.» (G. de Nerval)

c) Qu'en l'obstacle était surmonté et que l'attelage reprenait sa marche égale et solennelle, le laboureur, dont la feinte violence n'était qu'un exercice de vigueur et une dépense d'activité, reprenait tout à coup la sérénité des âmes simples. (G. Sand)

d) Vous ne mentirez pas, dites-leur des millions, et, qu'en même elles viendraient par avarice, j'aime mieux être trompé, au moins je les verrai. (H. de Balzac)

10 Laquelle des phrases suivantes ne contient aucune erreur d'homophone?

a) Avec qu'elle grâce pleine de modestie elle m'a salué hier soir! (Stendhal)

b) La poignée de la porte tournait avec sa main, mais quant il poussa dessus, rien. (A. Major)

c) Le vieillard présenta son stylet a l'inconnu, qui le prit et tenta d'entamer la Peau a l'endroit ou les paroles se trouvaient écrites. (H. de Balzac)

d) Les pulsations du balancier, qu'on entendait parfaitement, ressemblaient à s'y méprendre au cœur d'une personne émue. (T. Gautier)

11 Complétez ce texte à l'aide des mots qui conviennent, en choisissant parmi les homophones suivants:

ce/se	ces/ses	donc/dont	mais/mes	peu/peut	quelle/qu'elle	sans/s'en	si/s'y

«_____________ souvenirs lui revinrent _____________ ordre, _____________ si brusquement _____________ en éprouva un choc et, _____________ soir, elle _____________ sentait _____________ faible qu'il suffisait de _____________ pour l'attendrir. Pourquoi _____________ ne connaissait-elle plus _____________ bonheur _____________ largement dispensé à d'autres?»

Julien Green, *Adrienne Mesurat*, 1927.